THÉORIES
CONSPIRATIONNISTES

THÉORIES CONSPIRATIONNISTES
Jamie King

16, rue Albert-Einstein – Marne-la-Vallée
77420 Champs-sur-Marne, France
www.musicbooks.fr

Première édition pour la traduction française

Titre original : *Conspiracy Theories*

Première publication en langue anglaise et traduit en accord avec
Summersdale Publishers Ltd

Traduit de l'anglais par Adèle David
ISBN 978-2-35726-062-7

Directeur d'édition : Eddy Agnassia
Collection coordonnée par Flore Law de Lauriston
Composition et mise en page : Anthony Gaucher
Couverture : © Rex Features - composition : Mathieu Tougne

THÉORIES
CONSPIRATIONNISTES

Jamie King

Sommaire

Introduction

Nous avons tous déjà entendu parler des théories du complot. Le point de départ reste souvent le même : notre société a été infiltrée par un groupe clandestin secret avide de pouvoir, dont l'objectif est de dominer le monde. Rien ne l'arrêtera, même si cela implique de commettre les pires atrocités contre des populations innocentes.

Pour ceux qui croient aux théories du complot, la conviction dépasse largement les doutes qu'on peut parfois avoir sur l'honnêteté du gouvernement. L'ensemble des événements mondiaux sont réétudiés en partant du principe que le monde est gouverné en secret par un groupe ultra-puissant dont nous ne sommes que les pantins. S'il est déjà trop tard pour contrer leurs plans machiavéliques, nous avons au moins le devoir de comprendre ce qu'on souhaite tant nous cacher…

Paranoïa ? Imagination excessive ? Peut-être. Mais, si beaucoup de théories du complot ne sont que pures spéculations, l'Histoire nous a aussi prouvé que le mensonge est partout : politiciens, présidents, bureaucrates, tous ont manigancé dans l'ombre et trompé la population. Continuer de croire à tout ce que racontent les autorités, c'est se condamner à ne jamais connaître le fond de la vérité. Il est donc absolument vital pour les citoyens de remettre en cause l'autorité, et surtout ses dérives.

Comment être sûr, par exemple, que Barack Obama est bien celui qu'il prétend être ? Pourquoi accepte-t-on l'idée que le CIA a assassiné le président du Chili, mais pas qu'elle puisse avoir supprimé le président américain ? Nous savons maintenant que, dans le passé, les gouvernements ont testé sur leurs propres sujets les effets du plutonium, de la syphilis ou encore du gaz neurotoxique. Qu'est-ce qui les empêcherait de faire de même avec le virus du SIDA ? Comment expliquer, aussi, qu'Hitler soit parvenu à gagner la confiance des citoyens allemands ?

Mais les théories du complot ne concernent pas que l'époque contemporaine. Au temps de l'Empire romain déjà, l'empereur Néron aurait concocté un plan élaboré pour faire accuser les chrétiens d'être responsables de l'incident de Rome. Les événements prévus par certaines théories du complot ne se réalisent pas toujours, mais cela ne veut pas dire que les fondements de ces théories sont faux : et s'il s'agissait d'une ruse supplémentaire des conspirateurs pour endormir notre méfiance ?

La plupart des événements fondateurs de la civilisation occidentale ont été sujets à controverse. Beaucoup de changements mondiaux, qu'ils soient bénéfiques ou dévastateurs, sont l'œuvre d'une poignée d'individus puissants détenant les commandes de la société. Les innovations et découvertes qui ont ponctué notre Histoire ont façonné notre façon de pensée et d'agir. Et si nous étions conditionnés ? De la mort de Michael Jackson à la tragédie du vol Air France 447, préparez-vous à découvrir la face cachée de l'actualité...

11-Septembre

Selon la version officielle, la « guerre contre la terreur » a commencé le 11 septembre 2001. Et si, en vérité, la guerre avait commencé bien avant ? Certaines sources affirment en effet que le gouvernement américain a été complice de la tragédie, soit parce que rien n'a été fait pour l'éviter ou, pire encore, parce que celle-ci avait été soigneusement planifiée. Quelle que soit la vérité, un certain nombre de détails troublants vient contredire la version communément acceptée. Une organisation spéciale, le Mouvement pour la vérité sur le 11-Septembre, se consacre même entièrement à remettre en cause la ligne officielle et réclame encore de nos jours l'ouverture d'une nouvelle enquête sur les attentats.

Il est incontestable que, sans le 11-Septembre, les citoyens américains n'auraient sans doute pas adhéré aussi facilement à l'idée de la « guerre contre la terreur » – une guerre qui, avant cette date, aurait été inconcevable. Et si, alors, les attentats avaient été orchestrés dans ce seul but ? Selon certains, les événements du 11-Septembre ne sont pas sans rappeler l'attaque de Pearl Harbor, cette base navale américaine que les dirigeants américains auraient délibérément laissé attaquer afin de permettre au président Roosevelt de réaliser ses plans de guerre. Pour les détracteurs de l'administration Bush, la réalité se rapprocherait d'un événement historique encore plus sinistre... 27 février 1933 : Adolf Hitler fait incendier le Reichstag, siège du Parlement de la République allemande. À l'époque, Hitler présente l'événement comme un complot communiste, mais les historiens s'accordent désormais à dire que c'est le ministre de l'Intérieur de Prusse qui aurait délibérément provoqué l'incendie sous les ordres d'Hitler. Immédiatement après l'événement, Hitler promulgue un décret d'urgence qui suspend les libertés civiles basiques des citoyens et donne du même coup au gouvernement une autonomie totale. L'incendie marque alors la fin des valeurs démocratiques en Allemagne et l'avènement de la dictature nazie.

De façon similaire, le 3 octobre 2001, le Congrès approuve le Patriot Act de George Bush, un projet de loi réduisant les libertés civiles de citoyens américains et permettant la détention sans procès préalable de quiconque serait considéré par le gouvernement comme « une menace potentielle pour la sécurité ». Mieux, la pression populaire et politique réclame des mesures punitives qui tombent à pic pour le « Projet pour un nouveau siècle américain » justement au programme de la campagne Bush... Ce document stratégique, présenté en septembre 2000 par un groupe de néo-conservateurs, esquissait un 21e siècle dominé par les États-Unis. À l'origine de ce document, Dick Cheney, vice-président du Comité ; Donald Rumsfeld, secrétaire à la Défense ; Paul Wolfowitz, son député ; Jeb Bush, le frère de George W. et gouverneur de Floride ; et enfin Lewis Libby, le leader de la campagne électorale de Bush en 2000, et qui travaillait à l'époque à la Maison-Blanche.

La partie la plus troublante du document est certainement celle concernant le réajustement des forces militaires américaines à travers le monde. Le rapport stipule que l'augmentation des forces radicale des forces ne pourrait être justifiée « qu'en cas de catastrophe ou d'événement catalyseur tel qu'un nouveau Pearl Harbor ».

La question subsiste cependant de savoir comment des attentats aussi complexes auraient pu, en pratique, être élaborés puis perpétrés sans que le gouvernement et ses agences se doutent de quoi que ce soit. L'explication la plus logique est que les attentats ont bel et bien été orchestrés par Oussama ben Laden mais que les services de renseignement américains, qui étaient au courant du projet, ont préféré laisser faire. Les preuves de leur échec – aveuglement délibéré ou simple incompétence ? – sont légion mais reste encore à trouver une preuve irréfutable. Comme pour mieux brouiller les pistes, les bureaux de contre-terrorisme de la ville de New York et de la CIA, qui se trouvaient dans l'immeuble 7 du World Trade Center, ont été réduits en poussière avec les autres bâtiments, de même que tous les documents qui auraient incriminé les services de renseignement.

La théorie concernant une possible implication des services secrets n'est qu'un exemple parmi d'autres détails suspects de l'affaire, et qui se sont répandus comme une traînée de poudre au lendemain du 11-Septembre. Le jour même des attentats, les enregistrements géologiques montrent que c'est juste avant l'effondrement des tours jumelles que l'activité était la plus forte, et non au moment où elles se sont écroulées. Faut-il en conclure que ce sont en fait des explosifs placés sous les bâtiments qui ont détruit les tours, et non l'énorme quantité de carburant qui s'est enflammé lorsque les deux avions les ont percutées ? On note que les tours se sont effondrées sur elles-mêmes à la verticale au lieu de s'écrouler de travers.

Dans un ouvrage intitulé *The Ground Truth / 11-Septembre : la vérité*, John Farmer, ancien responsable à la Défense du New Jersey et haut conseiller à la Commission du 11-Septembre, affirme que la version officielle des événements est un tissu de mensonges fondé sur des faux témoignages et des documents falsifiés. « À un certain niveau, à un certain moment », affirme John Farmer, « les dirigeants américains se sont mis d'accord pour cacher la vérité... La version des événements attestée par les cassettes d'enregistrement du NORAD est radicalement différente de celle qu'on présente au public depuis deux ans. Je n'ai rien inventé. » Thomas Kean, le président de la Commission sur le 11-Septembre, donne une tout autre version : « À ce jour, on ne sait toujours pas pourquoi le NORAD [le Commandement de la Défense aérospatiale] a rapporté des faits qui n'avaient rien à voir avec la réalité. » Malheureusement, ni Kean ni Farmer ne semblent en mesure d'apporter une explication aux événements du 11-Septembre, et encore moins de désigner un coupable. Leurs déclarations se perdent dans la chape de mystère recouvrant les événements du 11-Septembre.

L'attaque du Pentagone comporte aussi bon nombre de détails troublants : comment expliquer, par exemple, que l'attaque ait visé le seul endroit du bâtiment qui, en raison de rénovations, se trouvait justement être vide ? Pourquoi n'a-t-on retrouvé aucun débris de l'avion de ligne dans les décombres ? Pourquoi, lorsque le troisième avion a percuté le Pentagone, n'a-t-on pas immédiatement déployé les chasseurs, comme le prévoit la loi de défense américaine dans le cas où un avion de ligne dévierait sensiblement de sa trajectoire ? Comment expliquer que, presque immédiatement après les attentats, le FBI avait déjà transmis aux médias nombre d'informations sur les terroristes, dont certains détails d'un passeport retrouvé comme par miracle dans les décombres de tours jumelles ? Comment se fait-il qu'au moins six des terroristes présumés soient toujours en vie ? Enfin, comment expliquer que le manifeste du vol, qui a été rendu public, ne contienne aucun nom arabe ?

Le sort rencontré par le quatrième avion, le vol United Airlines 93, a également soulevé la controverse : cet avion de ligne s'est écrasé dans un champ près de Shanksville, en Pennsylvanie, après que les passagers se furent révoltés. C'est le seul des quatre avions à avoir manqué sa cible. L'une des théories majeures suggère qu'il a, en fait, été abattu par un avion de chasse américain. Pourquoi ? Parce que les passagers avaient découvert le pot aux roses et avaient réussi à s'interposer.

Le gouvernement aurait alors donné l'ordre d'éliminer ces témoins gênants.

Ces éléments ont sérieusement semé le doute quant à la version officielle du 11-Septembre. En dehors de ces affirmations troublantes, toute une série de théories plus ou moins fantaisistes ont aussi vu le jour. La théorie dite « Wingdings » affirme que même Microsoft a été impliqué à un certain point dans les attentats. Les adeptes de cette hypothèse se fondent sur le fait que, en tapant « q33ny » avec la police « Wingdings » de Microsoft Word, on obtient un avion, deux bâtiments, une tête de mort et une étoile de David. Ils affirment également que « Q33NY » était le numéro de vol de l'un des avions détournés, ce qui est faux. Malgré tout, la théorie persiste, et certains voient même dans ce « signe » des messages antisémites contre la ville de New York. En effet, en tapant « NYC » dans la police Wingdings, on voit apparaître une tête de mort, l'étoile de David et une main levant le pouce en l'air. Pour les partisans de la théorie « Wingdings », il s'agirait d'un message subliminal ordonnant de tuer les Juifs de New York.

Quant à David Icke, il conclurait sans doute que des aliens reptiliens métamorphes, secrètement infiltrés dans tous les gouvernements de la planète, sont à l'origine du drame. Quelle que soit la vérité, les cendres du 11-Septembre ne semblent pas près de s'éteindre…

Abraham Lincoln

16e président des États-Unis, Abraham Lincoln fut abattu par John Wilkes Booth le 14 avril 1865. Dès le départ, l'assassinat avait soulevé des questions : Booth avait-il agi seul, ou n'était-il qu'un simple pion dans un complot d'envergure bien plus grande ?

L'implication du vice-président dans le déroulement des événements est pour le moins obscure : environ sept heures avant l'assassinat du président, Booth s'est arrêté à l'hôtel Washington où résidait alors Andrew Johnson, le vice-président de Lincoln. Comme ni Andrew ni sa secrétaire particulière n'étaient présents, Booth a laissé le mot suivant : « Puis-je vous trouver chez vous ? Je ne voudrais pas déranger. J. Wilkes Booth. » La secrétaire particulière de Johnson a affirmé sous serment que celui-ci avait découvert le mot plus tard dans l'après-midi. Cela signifie-t-il que Johnson et Booth se connaissaient ?

Les suspicions concernant l'implication de Johnson étaient assez grandes pour que soit créé un comité d'enquête spécial sur l'assassinat du président afin de mettre à jour des preuves éventuelles liant Johnson au crime. Si aucun élément probant n'a jamais été découvert, il a malgré tout longtemps été soupçonné d'avoir eu sa part de responsabilité. Il est effectivement curieux que Booth ait cherché à le contacter si peu de temps avant l'assassinat...

Bien sûr, il est tout aussi possible qu'au lieu d'être contrôlé par une seule personne, Booth ait agi pour le compte d'un groupe de conspirateurs unis pour défendre les valeurs sudistes, notamment le racisme et l'esclavage que Lincoln avait fait abolir. Peut-être Booth devait-il se contenter d'enlever le président en échange de prisonniers de guerre sudistes. Le plan n'ayant pas fonctionné comme prévu, il aurait alors paniqué et décidé de tuer Lincoln à la dernière minute.

Des lettres retrouvées en possession de Booth semblent démontrer qu'il avait également connaissance d'un complot visant à dynamiter la Maison-Blanche. En admettant que cela soit le cas, et que le plan ait alors échoué, les conspirateurs auraient été forcés de trouver une alternative plus radicale pour atteindre leurs buts. Le groupe, parti d'un objectif plus modeste, serait alors tombé dans l'escalade criminelle lorsque leurs premiers plans ont échoué.

La politique financière de Lincoln lui avait également attiré un nombre d'ennemis considérable. Bien que son implication dans la guerre civile ait sérieusement entamé ses ressources financières, Lincoln avait refusé les prêts à forts taux d'intérêts qui lui avaient été proposés par des banquiers européens menés par les Rothschild, préférant financer la guerre par ses propres moyens. Sans compter les mesures protectionnistes de Lincoln qui lui avaient attiré les foudres des banquiers britanniques, pour lesquels, dans les années 1860, le commerce libre était indissociable du monopole industriel et de l'esclavage. Lincoln représentait-il une trop grande menace pour l'ordre établi ?

Adolf Hitler

Même s'il est communément accepté qu'Hitler s'est suicidé à la fin de la Seconde Guerre mondiale avec sa petite amie Eva Braun, des tests ont récemment révélé que le crâne jusque-là présenté comme celui de l'ancien Führer appartenait en fait à une femme. Alors, Hitler a-t-il survécu à la guerre ? Et si oui, où a-t-il disparu ?

Certains affirment qu'Hitler s'est enfui en Argentine avec d'autres dirigeants nazis impliqués dans l'Holocauste, en emportant avec lui les réserves d'or que les nazis avaient volé. Il aurait traversé l'Atlantique en sous-marin, puis aurait été mis en lieu sûr avant que le reste de l'équipage ne se rende aux autorités argentines.

Une autre théorie reprend l'idée de la fuite en sous-marin… mais pour une destination plus inhospitalière. Dès 1939, une opération allemande secrète fut lancée avec l'intention d'établir une base en Antarctique. En 1945, celle-ci aurait donc pu être déjà construite. Hitler se serait enfui en sous-marin vers cette base à la fin de la guerre – voire avant, selon certains, auquel cas des sosies auraient pris sa place en Allemagne pour éviter les soupçons. Plusieurs années plus tard, dans la même région, des opérations ont été conduites par les soldats des forces spéciales britanniques (*Special Air Services*), tandis qu'au début des années cinquante les forces armées américaines auraient recouru à des armes atomiques lors de raids en Antarctique. S'agissait-il de tentatives pour éliminer Hitler et sa base secrète ?

Une troisième théorie suggère même qu'Hitler se serait enfui... sur la Lune. À la fin de la Seconde Guerre mondiale, cela faisait déjà des années que les nazis avaient commencé à développer des technologies sophistiquées, notamment des fusées. Certains avancent ainsi qu'Hitler se serait enfui dans l'une de ces fusées pour rejoindre une colonie secrète sur la Lune. Cette colonie, créée dans le plus grand secret pour accueillir l'élite mondiale, compterait déjà plus de 40 000 habitants... Les partisans de cette théorie affirment que l'air de la Lune est respirable et que l'ancien Führer y aurait vécu en toute quiétude et avec le confort nécessaire.

On ne saura sans doute jamais ce qu'il est réellement advenu d'Hitler, mais une chose est certaine : même s'il a survécu à la guerre, il est sans doute mort depuis bien longtemps déjà : en 2009, il aurait fêté son 120e anniversaire.

Agroglyphes

Les agroglyphes (« *crop circles* » en anglais), ces énormes motifs réalisés dans des champs de seigle, de maïs, de blé ou d'orge sont un phénomène documenté depuis des siècles déjà. Ces dessins élaborés formés par des épis rabattus ont été observés partout dans le monde. Pour beaucoup, il s'agit de canulars ou d'œuvres d'art réalisés par l'homme mais, pour d'autres, ils sont la preuve irréfutable de l'existence des extraterrestres.

Selon l'une des théories avancées, les agroglyphes sont une tentative des extraterrestres d'entrer en contact avec les humains. Les glyphes complexes qu'ils forment dans les champs sont les signes d'un langage sophistiqué qu'il nous reste encore à déchiffrer. Les adeptes de cette théorie avancent que l'augmentation de la fréquence d'apparition des agroglyphes au cours des trente dernières années est un message de la part des extraterrestres souhaitant nous avertir de la détérioration de l'état de notre planète. Al Gore fait-il partie d'une secte secrète qui aurait appris à lire leurs messages ? Sont-ce ces avertissements qu'il relaie à travers ses débats ultra-médiatisés sur le changement climatique ?

Une théorie pour le moins surprenante suggère même que, loin d'être des messages sophistiqués, les agroglyphes seraient plutôt des brouillons d'écriture basique… Selon cette idée, la Terre serait en fait plate (Galilée doit se retourner dans sa tombe...) et serait utilisée comme… ardoise par les écoliers et étudiants extraterrestres. Certains agroglyphes seraient des textes d'enseignement réel, d'autres les simples gribouillis d'écoliers extraterrestres dissipés !

Certains vont plus loin encore en affirmant que les agroglyphes seraient des graffitis géologiques réalisés par des petits farceurs de l'espace : la complexité des motifs, à laquelle les humains s'acharnent à trouver un sens caché, ne serait là que pour mieux tourmenter cette espèce inférieure que nous sommes. Les pyramides, Stonehenge et les vertigineuses constructions des Incas et Aztèques, qui dépassent de loin ce que l'homme aurait pu réaliser, ne seraient en fait que des plaisanteries extraterrestres. Mais pourquoi n'y a-t-on pas pensé plus tôt ?

Alexandre Litvinenko

23 novembre 2006 : dans un hôpital londonien, Alexandre Litvinenko, ancien officier des services secrets russes, rend son dernier souffle. C'est le premier cas enregistré de mort induite par un syndrome d'irradiation aiguë au polonium 210. Et les coupables de l'empoisonnement courent toujours…

L'hypothèse la plus courante est que c'est le gouvernement russe qui aurait donné l'ordre d'éliminer son ancien agent. Cette hypothèse se fonde notamment sur le fait que Litvinenko lui-même a ouvertement accusé le Premier ministre Vladimir Poutine (alors président de la Russie) de l'avoir empoisonné. Dans une lettre rédigée sur son lit de mort et publiée par les médias anglais peu après son décès, Litvinenko pointe du doigt le chef de l'État, « responsable de [son] actuelle condition » qu'il accuse d'être « barbare et sans pitié […] indigne de [sa] fonction et de la confiance des hommes et femmes civilisés ».

Litvinenko s'était réfugié au Royaume-Uni pour échapper à la persécution dans son propre pays. Il était devenu l'un des critiques les plus virulents de l'État russe et en particulier du régime poutinien, auquel il avait consacré deux livres incendiaires, dont *Le Temps des assassins*, dénonçant la transformation du régime en une organisation terroriste et l'accusant notamment d'être responsable des attentats meurtriers en Russie en 1999.

Il apportait aussi un soutien fervent à ceux qui se trouvaient en conflit, directement ou non, avec le gouvernement russe, entre autres la journaliste assassinée Anna Politkovskaïa ainsi que plusieurs rebelles tchétchènes. Autant de raisons qui auraient pu pousser Poutine à vouloir le réduire au silence.

On pense que Litvinenko aurait absorbé la dose mortelle au bar du Millenium Hotel, à Londres, où il avait retrouvé Andreï Lougovoï et Dmitri Kovtoun, deux ex-espions russes. Lougovoï a été soupçonné d'être le cerveau de l'opération. On a d'abord cru que l'empoisonnement avait eu lieu dans un bar à sushis, suite à quoi la chaîne de restauration concernée a vu ses ventes s'écrouler du jour au lendemain. Le même jour (1er novembre), Litvinenko tombait malade. Trois semaines plus tard, il était mort.

Scotland Yard a découvert des traces de polonium dans plusieurs endroits de Londres liés non seulement à Litvinenko, Lougovoï et Kovtoun mais aussi au bureau d'un autre réfugié politique russe, l'homme d'affaires milliardaire Boris Berezovsky, ainsi que dans l'avion qui a effectué la liaison entre Londres et Moscou avant et après l'empoisonnement. L'extradition de Lougovoï a cependant été refusée.

Mais le gouvernement de Poutine n'est pas le seul coupable désigné : certains pointent du doigt l'obscur Boris Berezovsky, affirmant que le rôle joué par cet opposant à Poutine était bien plus sinistre. Les traces de polonium retrouvées semblent indiquer qu'il connaissait Lougovoï, Kovtoun et Litvinenko.

Critique virulent de l'administration Poutine, Berezovsky aurait aidé à orchestrer la mort de Litvinenko, lui aussi dissident, afin de souiller la réputation du président en fonction et d'anéantir le gouvernement russe.

Une autre théorie suggère que Litvinenko s'était fait des ennemis à l'époque où il travaillait pour le département du crime organisé du FSB (successeur du KGB), lequel aurait ordonné de faire éliminer cet ancien employé de l'État devenu trop bavard...

Selon d'autres sources, Litvinenko travaillait comme espion pour le Royaume-Uni et c'est le gouvernement britannique qui serait aux commandes de l'assassinat. Une fois sa mission accomplie, l'ex-agent du FSB serait devenu trop encombrant pour être laissé en vie.

Attentat d'Oklahoma City

Le 19 avril 1995, à Oklahoma City, un attentat à l'explosif fait 168 victimes et plusieurs centaines de blessés. Ce sera l'attentat le plus important des États-Unis jusqu'à ceux du 11-Septembre. Les raisons d'un tel déchaînement de violence sont encore mal comprises. On a évoqué la thèse d'un complot anti-Clinton, ou d'une vengeance contre le siège de Waco dans lequel 82 adeptes d'une secte avaient trouvé la mort après avoir été assaillis par des agents armés sur ordre du gouvernement. Mais, dans les deux cas, la violence des mesures semble démesurée.

Dans une vidéo intitulée *L'Amérique en péril*, un certain Mark Koernke affirme que les Nations unies avaient tout bonnement lancé une invasion contre les États-Unis. Des troupes de l'ONU auraient débarqué en masse aux États-Unis avant de se cacher dans des bases militaires secrètes, dont les quartiers généraux se seraient justement trouvés en Oklahoma. Koernke poursuit en affirmant que des gangs de rue avaient été « formés et équipés et vêtus d'uniformes », prêts à être déployés en ligne de front de l'invasion des États-Unis.

Toujours selon lui, le plan visait à abolir les États-Unis d'Amérique pour diviser le pays en dix régions dirigées d'une main de fer par l'ONU. De plus, afin de mieux annexer le pays, les troupes de l'ONU auraient prévu d'emprisonner les citoyens américains dans 43 « camps de détention » disséminés dans tout le pays. Et le centre de traitement des détenus, situé dans la partie ouest des États-Unis, n'était autre qu'Oklahoma City.

Les médias ont par la suite révélé que le terroriste Timothy James McVeigh, qui fut exécuté par la suite, avait fait partie des gardes du corps de Koernke lors d'une intervention publique de ce dernier en Floride, l'année précédente. Si McVeigh et ses complices étaient aussi proches de Koernke qu'on le dit, nul doute qu'ils auraient entendu parler du complot de l'ONU prévoyant d'interner les citoyens américains dans des camps de détention. McVeigh aurait-il mis en place les attentats afin de contrecarrer le complot européen ?

En tout cas, il reste difficile de croire que McVeigh et Terry Nichols, l'autre terroriste condamné, aient pu organiser à eux seuls un acte terroriste d'une telle ampleur. Où se sont-ils procurés du fertilisant et de l'essence pour voitures de course en quantité énorme sans attirer les soupçons ? Surtout, qu'est-ce qui motiverait deux individus isolés à commettre des attentats aussi meurtriers ? Les messages anti-gouvernementaux qu'ils ont été accusés de diffuser semblent être une raison bien maigre pour un acte d'une telle violence.

De nombreux partisans de la théorie du complot se sont penchés sur l'examen du site de l'explosion, ainsi que des dommages causés au bâtiment fédéral qui a été détruit. Plusieurs rapports, dont un rapport indépendant effectué en 1997, semblent indiquer que seuls des explosifs supplémentaires situés *dans* le bâtiment auraient permis de le faire s'effondrer d'une telle manière. La bombe située dans le camion qui a explosé près du bâtiment n'aurait pu, seule, causer de tels dégâts. L'analyse des sismographes voisins suggère qu'il y a eu non pas une mais deux secousses – preuve, pour les partisans de la théorie du complot, qu'une autre bombe a explosé à l'intérieur du bâtiment. Si c'est le cas, la personne responsable de l'avoir placée devait elle-même avoir accès au bâtiment fédéral. Il y aurait donc eu plus de deux personnes impliquées.

Les caméras de sécurité de la zone furent mystérieusement coupées peu de temps avant l'attentat, et se rallumèrent juste à temps pour filmer l'explosion : coïncidence ou coupure minutieusement programmée ? Les attentats ont-ils été perpétrés par une équipe organisée à grande échelle dont les deux terroristes accusés ne seraient que les boucs émissaires ?

D'aucuns ont suggéré que le groupe à l'origine de l'attentat pourrait remonter jusqu'aux plus hauts échelons du pouvoir – c'est-à-dire jusqu'au président Bill Clinton en personne. Celui-ci aurait eu connaissance du complot mais se serait abstenu d'agir. Pire, certains vont jusqu'à affirmer que c'est lui qui aurait mis en place toute l'opération afin de nuire à l'image du mouvement des miliciens auquel appartenait McVeigh. Même si aucune preuve ne lie Bill Clinton aux événements, son implication expliquerait du même coup la présence d'explosifs à l'intérieur du bâtiment : qui mieux que des agents du gouvernement experts en missions délicates aurait pu placer une bombe en secret dans un bâtiment fédéral ?

On ne peut pas non plus exclure l'hypothèse d'une intervention étrangère : Terry Nichols aurait pu entrer en contact avec le terroriste responsable des attentats de 1993 sur le World Trade Center. Le van utilisé appartenait à la même compagnie que lors des précédentes attaques à la bombe cachée dans un camion.

En raison des nombreuses zones d'ombre de l'affaire, l'enquête sur l'attentat d'Oklahoma City a été rouverte à plusieurs reprises. McVeigh, cependant, ne parlera plus : il fut exécuté par injection létale en 2001.

Attentats 1999 en Russie

Entre le 4 et le 16 septembre 1999, cinq bombes explosèrent dans quatre immeubles de Moscou, Bouïnaksk et Volgodonsk, ôtant la vie à 300 personnes et faisant des centaines de blessés. Les attentats provoquèrent une vague de panique en Russie. Plus de dix ans après les faits, ils continuent de semer la controverse.

Le gouvernement russe mené par le président Boris Eltsine et le Premier ministre Vladimir Poutine eurent tôt fait d'accuser les rebelles tchétchènes d'avoir organisé les attentats en riposte au mépris affiché du gouvernement pour leurs tentatives d'indépendance. Mais est-on sûr que le gouvernement était lui-même innocent ?

Beaucoup pensent que les attentats ont été orchestrés par le FSB, le service secret russe qui a succédé au KGB. L'objectif : rallier les citoyens russes à la cause de la seconde guerre tchétchène entamée depuis août pour propulser Vladimir Poutine, l'ancien dirigeant du FSB, à la tête du pays.

S'il y eut bien un coup d'État, l'« opération succession », comme on l'a surnommée, atteignit ses objectifs. Fin 1999, Eltsine se retirait du pouvoir à la surprise générale, laissant sa place à Poutine moins d'un an après les attentats… Celui-ci bénéficiait d'une forte cote de popularité auprès des Russes, désireux de renforcer la solidarité nationale et de favoriser l'action directe en Tchétchénie.

Cette théorie a notamment été soutenue par plusieurs réfugiés politiques et oligarques anti-Kremlin, dont l'homme d'affaires milliardaire en exil Boris Berezovsky et l'ex-agent du FSB Alexandre Litvinenko, qui dénonça les dérives du régime dans son livre *Le Temps des assassins*.

Il a été avéré qu'un agent du FSB louait le sous-sol de l'un des immeubles pris pour cible en septembre 1999. Autre élément à charge, le gouvernement changea du jour au lendemain sa version des faits sur l'utilisation de l'explosif militaire RDX. Il fut d'abord affirmé que les bombes avaient été fabriquées avec du RDX, mais lorsqu'il fut prouvé que celui-ci ne pouvait provenir que d'un site hautement protégé appartenant à l'État, le gouvernement se rétracta en affirmant qu'aucune trace de RDX n'avait été retrouvée sur les lieux de l'attentat.

Il fut aussi prouvé que les agents du FSB étaient impliqués dans un attentat raté dans un bloc d'immeubles de Riazan quelques jours seulement après le drame de Volgodonsk. Le chef du FSB nia d'abord les accusations afin d'avouer que l'organisation était bien responsable de la présence des bombes, tout en se justifiant en expliquant qu'il s'agissait d'un exercice d'entraînement mal programmé.

Deux membres éminents de la commission indépendante chargée d'enquêter sur le rôle du FSB dans les attentats, Youri Schekochikhine et Sergueï Youchenko, trouvèrent la mort dans des circonstances suspectes en 2003. En 2006, la journaliste Anna Politkovskaïa était assassinée alors qu'elle faisait des recherches sur le même sujet. Litvinenko mourut d'une façon mystérieuse à Londres la même année.

Le gouvernement russe n'est cependant pas le seul à avoir été désigné coupable. Certains pensent que les attentats ont en fait été perpétrés par Al Khattab, un chef de guerre connu pour être en lien avec les groupes terroristes Armée de libération du Daguestan et Armée islamique du Daguestan. Il aurait voulu se venger des agressions militaires russes récemment commises au Daguestan et en Tchétchénie.

Pour d'autres, enfin, c'est vers le groupe anti-consumériste des Écrivains révolutionnaires qu'il faut se tourner. Une note signée de l'organisation aurait été découverte par le FSB dans les décombres de l'un des blocs d'immeubles détruits par les bombes. Le groupe y aurait revendiqué l'attentat en expliquant qu'il s'agissait d'un acte de protestation contre la montée du consumérisme capitaliste dans la Russie anciennement communiste.

Attentats de Londres

Le 7 juillet 2005, l'Angleterre est frappée de plein fouet par le terrorisme : quatre bombes placées dans le réseau de transport en commun londonien explosent, faisant 56 victimes et de nombreux blessés. Les attentats furent très vite attribués à Al-Qaïda, mais le doute subsiste encore sur l'identité des coupables.

Trois des bombes furent déclenchées successivement en l'espace de moins d'une minute sur trois lignes de métro durant la matinée à l'heure de pointe, causant un nombre élevé de morts et de blessés. Une quatrième bombe explosa dans un bus à double étage presque une heure plus tard, sur la place Tavistock.

Les médias relayèrent largement l'information selon laquelle les attentats avaient été perpétrés par quatre terroristes kamikazes islamistes, tous de nationalité britannique, en représailles de l'implication de l'Angleterre dans la guerre en Irak. L'aveu rencontra stupeur et consternation de la part des citoyens anglais, et le lien avec Al-Qaïda fut rapidement établi.

Cependant, avec le recul et l'apparition de nouveaux éléments sur l'affaire, la version officielle des événements est de plus en plus remise en cause. Certaines personnes pensent désormais que les attentats auraient été orchestrés par les services secrets britanniques afin d'inciter en masse les citoyens à soutenir la guerre en Irak.

À l'origine de cette théorie, des éléments qui prouveraient que les bombes avaient été placées sous les voitures du métro et non déclenchées de l'intérieur. Un témoin visuel rapporte qu'au niveau du trou laissé par l'explosion d'une des bombes dans le métro, le sol semblait avoir implosé par une force située sous le wagon, comme si la surface avait été fracturée par le dessous.

Pour pouvoir mettre en place les explosifs, les quatre hommes mis en cause auraient nécessité d'avoir un accès spécial aux tunnels du métro, et il est peu probable que la permission leur aurait été accordée. Les terroristes ne seraient-ils que les boucs émissaires de l'affaire ?

Le gouvernement britannique se serait servi d'un exercice d'entraînement de contre-terrorisme pour pouvoir mettre en place l'attentat. Si l'on en croit la rumeur, une entreprise britannique de gestion de crise liée à l'État britannique menait justement, ce matin-là à Londres, un exercice d'entraînement relatif aux attaques terroristes. Les services secrets britanniques auraient profité de l'occasion pour mettre à exécution une opération, réelle cette fois, d'attentat à la bombe.

Comment expliquer aussi qu'on ait retrouvé au milieu des décombres de l'accident les papiers d'identité des terroristes en parfait état ? Il paraît impensable qu'ils n'aient pas été détruits dans l'explosion. Les agents du M15 les auraient-ils déposés exprès sur les lieux du drame ?

Les partisans de la théorie du complot font aussi remarquer que le gouvernement britannique a affirmé que les terroristes s'étaient rendus à Londres depuis Luton par un train qui avait, en fait, été annulé. Les conspirateurs se sont-ils trompés en élaborant leur version de l'événement ? Pourquoi les caméras CCTV du bus ne fonctionnaient-elles pas ? Et pourquoi Benyamin Netanyahou, le ministre israélien de la Finance, a-t-il décidé de modifier son trajet qui devait, ce jour-là, passer par l'une des zones où les bombes ont explosé ? Les services secrets israéliens du Mossad auraient-ils été prévenus du danger par le M15 ?

Certains pensent que les attentats ont été perpétrés par la CIA pour un mobile financier. Suite aux attentats, la bourse devint très lucrative, la vente à découvert de la livre profita à de nombreux particuliers. La valeur de la devise anglaise, qui était déjà en baisse, connut une chute spectaculaire suite aux attentats de Londres. Le même schéma, paraît-il, aurait été mis à profit lors des attentats du 11-Septembre. Pour certains, aucun doute possible : le siège de ces transactions ne serait nul autre que le bureau des services secrets américains…

Attentats de Madrid

Madrid, 11 mars 2004. À 7h39 précises, plusieurs bombes explosent successivement dans les trains de banlieue de la capitale espagnole, faisant 191 morts et plus de 1 800 blessés. Les attentats coûteraient aussi sa place à la tête du pays au Partido Popular, le parti conservateur espagnol.

Le gouvernement espagnol de José María Aznar fut prompt à accuser le groupe terroriste basque ETA, dont les violentes actions pour l'indépendance du Pays basque avaient déjà coûté la vie à plus de 800 personnes depuis la fin des années 60.

Dans les jours qui suivirent, l'État maintint fermement sa version des faits malgré l'accumulation de preuves démontrant l'implication de militants islamistes. L'entêtement du gouvernement et sa mauvaise foi à accepter que l'ETA n'était pas coupable furent très mal perçus par le public espagnol, au point que les citoyens manifestèrent en masse. Lors des élections générales qui eurent lieu quelques jours après les attentats, le gouvernement pro-américain de José María Aznar fut battu à plate couture par le Parti des travailleurs espagnols socialistes, mené par José Luis Rodríguez Zapatero.

Le lien avec Al-Qaïda n'a cependant jamais été démontré formellement, et certains continuent de penser que l'ETA était impliqué dans le drame. L'ETA et les islamistes se seraient alliés pour mettre au point les attentats juste avant les élections, de façon à faire tomber le gouvernement Aznar, favorable à la guerre en Irak, et à casser le soutien espagnol à l'invasion irakienne menée de front par Bush et Tony Blair. Si c'est le cas, l'opération a pleinement réussi : l'une des premières mesures prises par le gouvernement Zapatero fut de retirer les troupes espagnoles d'Irak. Les grands quotidiens nationaux continuent, à ce jour, d'accuser l'ETA d'avoir participé aux attentats de Madrid.

La plupart des terroristes incriminés étaient marocains et d'aucuns en ont conclu à la culpabilité des services secrets marocains. En juillet 2002, l'Espagne avait repris de force l'îlot de Perejil situé au large de la côte nord-africaine après que le Maroc eut tenté de se l'attribuer. La réplique agressive de l'Espagne avait créé un froid entre les deux pays, ce qui a conduit certains à croire que les services secrets marocains auraient volontairement dissimulé certaines informations qui auraient pu permettre de prévenir les attentats en Espagne. Auraient-ils été jusqu'à les orchestrer eux-mêmes ?

Une théorie moins recherchée suggère que les attentats sont en fait un coup d'État spectaculaire de la part du Parti socialiste. N'est-ce pas grâce au terrible incident que le Parti des travailleurs socialistes espagnols de Zapatero a remporté les élections du 14 mars haut la main, porté par une soudaine vague de soutien populiste ? En tout cas, les attentats de Madrid tombaient à pic pour le futur président espagnol.

Automobiles anglaises

À l'avènement du vingtième siècle, les États-Unis avaient enfin établi leur indépendance, et l'Angleterre, bien que déçue d'avoir perdu ses colonies, avait gagné un allié de choix. Cependant, un groupuscule de Britanniques refusait encore l'indépendance des colonies. Ces conspirateurs auraient, dès la guerre de 1813, mis au point des plans complexes pour que l'Angleterre retrouve la mainmise sur ses anciennes colonies. Toujours suivant cette théorie, ces mêmes personnes auraient prévu de réduire à néant toute l'infrastructure américaine à la fin de la Seconde Guerre mondiale.

Durant le boom économique américain, de la fin des années 1940 jusqu'aux années 1960, les conspirateurs conclurent plusieurs marchés avec des fabricants de voitures britanniques cherchant à exporter leur production aux États-Unis. Bientôt, des marques telles que MG, Triumph, Austin-Healey et Jaguar lancèrent sur le marché des nouvelles voitures de toute beauté… mais extrêmement capricieuses et difficiles à manœuvrer. Les conspirateurs espéraient ainsi que, en l'absence d'un réseau de transports en commun, les routes américaines, absolument cruciales pour le bon fonctionnement du pays, seraient bientôt encombrées par des voitures anglaises hors d'état laissées à l'abandon. La déroute américaine qui s'ensuivrait automatiquement affaiblirait la nation à tel point que les soldats britanniques auraient la voie libre pour se rendre jusqu'à Washington et reprendre le pouvoir en main.

Malheureusement pour eux, les voitures anglaises étaient si peu fiables que la plupart n'obtinrent même pas l'autorisation de quitter le port. Il paraît que, en découvrant le pot aux roses, les États-Unis se seraient empressés d'introduire de nouvelles règles de sécurité afin de mettre en banqueroute les fabricants de voitures britanniques. Si cette théorie est fondée, on peut dire qu'ils ont réussi…

Barack Obama

5 novembre 2008. L'Amérique assiste à un moment historique : en battant le républicain John McCain au dernier tour des élections, Barack Obama devient le premier homme noir à devenir président des États-Unis, mettant ainsi fin à une administration Bush controversée. Mais comment Obama est-il arrivé au sommet ?

Certains sont convaincus que l'irrésistible ascension d'Obama est loin de ne devoir qu'au mérite pour ce natif d'Honolulu qui, après avoir grandi à Hawaï et en Indonésie, a étudié à la prestigieuse université Columbia et à l'école juridique de Harvard avant de devenir avocat de droit civil pendant douze ans puis sénateur de l'Illinois de 1997 à 2004, pour enfin accéder au siège suprême des États-Unis.

Pour les terroristes, l'ascension d'Obama au pouvoir n'est rien de moins qu'un complot socialiste orchestré par un groupe de financiers juifs peu recommandables soutenus par la puissante dynastie Rothschild. Obama devrait sa réussite à un certain George Soros, un homme d'affaires juif. Ce fervent partisan des causes libérales, financièrement soutenu par les Rothschild, aurait propulsé le jeune avocat jusqu'à la présidence. Il aurait lui-même choisi quel candidat allait affronter Hillary Clinton dans la course du Parti démocrate pour la présidence, et plus tard le candidat républicain McCain lors du dernier tour.

La volonté d'Obama de réformer le système de santé américain, qui lui a attiré les foudres des ligues chrétiennes et des grandes corporations, est perçue par certains comme la preuve que son ascension et sa politique ont été dictées par les socialistes.

Il a aussi été avancé qu'Obama doit son accession au pouvoir au soutien de la famille Kennedy. John F. Kennedy en personne aurait invité le père de Barack Obama à venir étudier, pour un coût modeste, dans une université américaine. Une fois sa position assurée, celui-ci était alors tout prêt à guider son fils sur la route qui devait le mener jusqu'à la Maison-Blanche.

On a aussi beaucoup spéculé sur l'influence du puissant groupe Nation d'Islam : selon certains, Barack Obama serait le fils illégitime de Malcolm X, ancien leader de l'organisation et militant pour les droits de la communauté noire. C'est grâce à l'aide des membres de Nation d'Islam qu'Obama aurait pu devenir le premier président afro-américain de l'histoire des États-Unis. Alors, les projets de santé publique d'Obama révèlent-ils un soutien clandestin ? À ce jour, la communauté noire est celle qui dispose le moins de couverture santé. Doit-on y voir le signe d'un plan organisé ?

Benazir Bhutto

L'assassinat de l'ancien Premier ministre du Pakistan Benazir Bhutto, tuée le 27 décembre 2007 à Rawalpindi alors qu'elle était en campagne pour devenir leader du parti d'opposition, le Parti du peuple pakistanais, est un chapitre de plus dans l'histoire politique rocambolesque du Pakistan – et les théories du complot ne manquent pas pour tenter de faire la lumière sur ce crime.

Beaucoup pointent du doigt le général Pervez Musharraf, qui était alors président du Pakistan. Ce dernier avait pris le pouvoir en 2001 et l'avait conservé jusqu'en août 2008, où une mise en accusation l'avait forcé à démissionner.

Dans le contexte explosif des élections pakistanaises, le retour de Bhutto au Pakistan après des années d'exil représentait une menace non négligeable pour Musharraf, à la fois sur le plan politique et financier. La Ligue musulmane du Pakistan, qui soutenait Musharraf, se préparait à une défaite électorale. Or, Bhutto aurait préalablement passé un accord avec le président qui verrait ses pouvoirs se réduire en cas de victoire de Bhutto. Musharraf, touché à la fois dans son honneur et dans son pouvoir, a-t-il décidé de se débarrasser de cette adversaire gênante ?

Si Al-Qaïda a revendiqué l'assassinat, l'aveu est loin d'innocenter Musharraf et son régime. Musharraf lui-même et ses proches associés étaient liés plus ou moins directement à des groupes extrémistes, et les rumeurs prétendent que ces alliés peu recommandables lui servaient de forces armées secrètes pour faire taire les opposants politiques trop gênants. Si c'est vrai, le président aurait parfaitement pu engager un tueur à gages au sein d'Al-Qaïda ou des Talibans pour se débarrasser de Bhutto.

Musharraf n'aurait peut-être même eu aucun mal à engager un militant au sein du Parti. L'agence pour le renseignement inter-services, ou ISI, aurait déjà éliminé des dirigeants de l'opposition pour le compte de nombreux Premiers ministres pakistanais, et rien ne l'empêchait de prendre Bhutto pour cible dans un règlement de comptes intérieur : dans le cas d'une victoire de Bhutto, l'ISI aurait essuyé, tout comme Musharraf, une diminution soudaine de pouvoir.

La facilité avec laquelle le tireur et le terroriste suicidaire ont réussi à approcher la voiture ultra-blindée de Benazir Bhutto donne à penser que les services de sécurité leur ont facilité la tâche. Il paraît aberrant que les responsables de la sécurité de Bhutto aient pu commettre une négligence professionnelle aussi grossière, d'autant plus que celle-ci avait survécu à un attentat similaire quelques mois plus tôt seulement, à Karachi. L'attaque à la bombe avait coûté la vie à au moins 139 personnes, la plupart des membres du Parti du peuple pakistanais (PPP) de Bhutto.

De plus, selon un journal israélien, le gouvernement pakistanais avait empêché Bhutto d'engager elle-même un service de sécurité privé américain et anglais, en refusant le visa d'entrée aux agents de sécurité indépendants américains et anglais. Musharraf se défendit en disant que Bhutto s'était elle-même exposée au danger, notamment en s'attardant trop longtemps à la réunion.

Les causes de la mort de Bhutto étant pour le moins confuses, les soupçons concernant une éventuelle implication de l'État n'ont fait que s'étoffer un peu plus. Le ministère de l'Intérieur affirma que Bhutto était décédée suite à une fracture du crâne résultant d'un choc contre la paroi intérieure de la voiture – une affirmation contredite par les rapports hospitaliers.

Si les opposants de Bhutto sont si désireux de faire passer sa mort comme un simple incident, c'est sans doute parce que si elle devenait une martyre aux yeux du peuple, son parti aurait toutes les chances de remporter les élections à venir…

Musharraf, cependant, n'est pas l'unique suspect de l'affaire. Certaines rumeurs laissent en effet penser que c'est l'ancien Premier ministre Nawaz Sharif qui a donné l'ordre d'éliminer Bhutto. En plus d'être des rivaux politiques, Sharif et la famille Bhutto se vouaient une animosité tenace depuis que le politicien natif de Lahore avait fait arrêter le mari de Bhutto pour corruption. Celui-ci dut passer plus de dix ans en prison.

Certains pensent même que le gouvernement américain lui-même serait impliqué dans l'affaire et que, après avoir aidé Bhutto durant son retour d'exil, il aurait collaboré à son assassinat afin de précipiter la chute de Musharraf. Son supposé soutien clandestin aux groupes extrémistes des frontières pakistanaises et afghanes menaçait-il le succès de la « guerre contre la terreur » des Américains ?

Benjamin Franklin

Les années qui suivirent la Révolution américaine durant la seconde moitié du dix-huitième siècle furent loin d'être les plus stables de l'histoire des États-Unis. L'Angleterre, grande puissance coloniale, comptait déjà nombre de pays alliés mais les États-Unis étaient encore trop jeunes pour pouvoir espérer s'attirer les faveurs de l'Europe continentale... Sans compter que la jeune nation ne disposait pas de ressources militaires assez importantes pour pouvoir espérer protéger l'ensemble de ses côtes. Même si l'Amérique avait gagné son indépendance, il n'était que trop clair que la couronne anglaise restait en position de force et que, si elle venait à riposter, les conséquences pour les États-Unis seraient terribles.

Les dirigeants américains, désireux de protéger leurs intérêts et ceux de la nation, se rendirent vite compte qu'il était dans leur intérêt de s'allier avec l'une des grandes nations européennes. La France représentait le partenaire idéal : elle avait déjà envoyé des troupes, des vaisseaux et de l'argent pour soutenir la cause révolutionnaire. Sans compter que la France, qui était déjà bien établie en tant que nation, partageait avec les États-Unis une rivalité avec l'Angleterre. Malheureusement, ils comprirent aussi rapidement que leur nouvel allié était plutôt capricieux... Les États-Unis mirent donc un plan au point pour empêcher la dégradation des relations franco-américaines.

Benjamin Franklin, scientifique et politicien de renommée mondiale, fut choisi comme ambassadeur des États-Unis en France. Officiellement, son rôle se limitait à celui de représentant, mais certains théoriciens affirment qu'on lui avait également confié une mission secrète : jouer de son charme et de son charisme pour séduire les grandes dames françaises afin d'engendrer une véritable tribu franco-américaine.

Les États-Unis espéraient ainsi que ses descendants pourraient perpétuer une alliance dont les effets seraient bénéfiques pour les deux nations. La révolution de 1789 coupa court à leurs beaux projets : l'assassinat de Louis XVI, partisan des États-Unis, et de nombreux membres de l'aristocratie française ne firent qu'empirer les relations franco-américaines, et le gouvernement de Bonaparte ne verrait que d'un mauvais œil cette jeune nation ambitieuse...

Big Brother vous regarde

Avez-vous parfois l'impression qu'*ils* vous surveillent ? Vous êtes-vous déjà demandé si vous étiez, entre les mains des autorités, un simple pion au sein d'un complot dont on ne vous a rien dit, et sur lequel vous n'avez aucun contrôle ? Si le livre *1984* de George Orwell vous a donné froid dans le dos, attendez de lire ce qui suit...

- Les systèmes de surveillance actuellement en possession des dirigeants gouvernementaux comprennent, selon le professeur Gary Marx de l'Institut technologique du Massachusetts (MIT), « des imageries de capteurs de chaleur pouvant détecter si une maison est occupée ou non, des amplificateurs de voix et de lumière, des appareils de vision nocturne et des techniques spéciales pour lire le courrier sans avoir à ouvrir l'enveloppe ». Les caméras, quant à elles, peuvent être dissimulées dans presque n'importe quel meuble et la police est en droit d'écouter ou d'enregistrer les conversations téléphoniques de quiconque est suspecté d'être impliqué dans un crime.

- Une grande entreprise informatique incite actuellement ses employés à porter un « badge actif » sur eux, envoyant un signal détecté par des capteurs placés de façon stratégique. Le signal est ensuite transmis à une unité centrale, de sorte que la localisation du porteur du badge est surveillée en permanence.

Une technologie plus poussée permet même au système de couvrir une zone plus étendue que l'espace de travail lui-même, permettant ainsi aux patrons de surveiller les moindres faits et gestes de leurs employés. Pire encore, une entreprise de surveillance a même fait implanter des micro-puces dans les avant-bras de ses employés pour pouvoir détecter s'ils tentent d'accéder à des zones interdites.

- Les autorités enregistrent en moyenne environ 4000 conversations téléphoniques par jour. Combien de conversations sont écoutées illégalement ? Dans certains pays, tout appel de et vers l'international est automatiquement enregistré et contrôlé. Grâce au développement (légal) des transmissions analogiques, de nombreuses conversations longue distance sont maintenant enregistrées.

- Durant les dix dernières années, plus de 3,5 millions de personnes ont été ajoutées à la base de données ADN britannique. La procédure veut maintenant que quiconque est arrêté pour un délit autre que le jetage de déchets ou un stationnement abusif devra subir un prélèvement ADN, que les services de paix sont autorisés à conserver jusqu'à ce que le suspect atteigne 100 ans. Cela s'applique même dans le cas où la personne est innocentée du délit.

- Les États-Unis détiennent le système de bases de données informatiques le plus étendu au monde concernant les informations personnelles sur des civils. Les renseignements peuvent tout aussi bien être recueillis dans le but de surveiller des criminels que pour traquer les mauvais payeurs, et même pour des études de marché. Les informations conservées comprennent des données de base telles que noms et adresses, mais aussi des données absolument confidentielles : dossiers médicaux, profils psychologiques, consommation d'alcool moyenne et opinions politiques et religieuses. L'un des nouveaux projets du gouvernement est de compiler, à plus long terme, une base de données biométriques complète contenant aussi les empreintes, ADN et autres données physiques uniques de millions de personnes.

- L'espionnage électronique est désormais partout, au point que peu de personnes considèrent cela comme un problème. Les logiciels de gestion de réseau sont automatiquement équipés de systèmes de contrôle des employés pouvant garder en mémoire les activités de quiconque afin de les conserver pour une analyse ultérieure. Ces logiciels peuvent également envoyer des messages à un ordinateur particulier pour ordonner à la personne de travailler plus vite. « Surveillez l'ordinateur de votre employé comme si vous étiez à sa place », annonce avec fierté une annonce pour l'un de ces logiciels. « Et sans qu'il se doute de quoi que ce soit ! »

- Selon une étude du gouvernement américain, les données contenues dans les dossiers criminels du FBI sont incomplètes et erronées. Des milliers de citoyens pourraient se retrouver injustement arrêtés.

- Le nombre de personnes répertoriées dans le système d'information criminel de Californie excède la population de l'État.

- Depuis le début des années 90, le nombre de courriers ouverts, lus et inspectés par le FBI et autres organisations a été multiplié par dix.

- Les services de douane américaine ont commencé à mettre en place un système informatique qui classera les voyageurs à l'arrivée en tant que passagers à « haut risque » ou « faible risque » selon les informations transmises par les compagnies aériennes. Officiellement, il s'agit d'accélérer les files d'attentes aux douanes. « Ici, en Amérique, les gens sont censés être libres », objecte un dirigeant américain, peu convaincu par le système. « Si on vous demande d'entrer votre nom et date de naissance dans un ordinateur où que ce soit à Washington, méfiez-vous ! »

- La politique interne de la marine américaine exige de prélever un échantillon ADN sur toutes les nouvelles recrues. À quand l'arrivée de parfaits marins entièrement créés génétiquement ?

Bill Clinton

Bill Clinton, un président comme un autre ? Pas si sûr, répondent certains… La rumeur court en effet que l'ancien président serait en fait un extraterrestre. Selon une autre théorie, il ne serait ni humain ni extraterrestre, mais plutôt un robot ultra-perfectionné obéissant aux ordres du FBI et d'un certain groupe célèbre de dessins animés…

Mais, en admettant que ces théories soient vraies, comment expliquer qu'il ait caché sa véritable identité si longtemps ? Sa ressemblance bluffante avec les humains aurait été rendue possible grâce à une technologie de pointe lui permettant également de duper les gens dans les situations de tous les jours. Il aurait notamment la capacité de communiquer par télépathie. Ce sont ses créateurs qui ont mis au point les politiques extérieures durant le mandat de Clinton, de même que ses projets pour les États-Unis.

Une chose est sûre, les escapades extraconjugales de Clinton ont grandement contribué à le rendre plus humain à nos yeux. Et s'il s'agissait d'une simple ruse imaginée par les créateurs du robot ? Le choix d'Al Gore comme vice-président, qui a été vivement critiqué, pourrait également être une ruse destinée à le rendre encore plus humain et vulnérable aux yeux des citoyens.

Certains groupes politiques de droite affirment avoir découvert la nature robotique de l'ancien président alors qu'il était encore au pouvoir. Pensant que personne ne les croirait, ils ont préféré l'affronter par des moyens plus… conventionnels.

Bruce Lee

Bruce Lee fut enterré au cimetière de Lake View, à Seattle, le 20 juillet 1973. Il était revêtu du costume chinois traditionnel qu'il portait dans le film *Opération Dragon*. Pourtant, bien avant qu'il ne trouve une mort tragique à l'âge de 32 ans seulement, la rumeur s'était déjà répandue en Asie que Bruce Lee était mort depuis des mois. Sa mort fut classée comme étant accidentelle, mais selon une certaine source, Lee aurait été éliminé par les triades de Hong-Kong parce qu'il avait refusé de leur verser de l'argent pour qu'elles assurent sa protection. D'autres sources affirment qu'il aurait été drogué par un de ses anciens maîtres d'arts martiaux, qui désapprouvait le fait que Lee ait transmis son savoir aux étrangers. Pour beaucoup d'admirateurs chinois, Lee a simplement succombé au régime d'entraînement intensif qu'il s'était lui-même imposé. D'autres pensent qu'il serait mort d'une overdose. Enfin, une hypothèse plus cynique avance qu'il a mis en scène sa propre mort pour revenir sur le devant de la scène au moment opportun.

L'hypothèse la plus répandue, relayée par les journaux de Hong-Kong, soutient qu'il a été assassiné par la mafia américaine. Après le tournage de la série télévisée *Le Frelon vert*, des agents de la mafia proposèrent à Lee de devenir la première star orientale d'Hollywood. Lee leur objecta un refus et retourna chez lui à Hong-Kong. Dans l'intervalle, la mafia, humiliée, avait signé son arrêt de mort et engagé un tueur à gages pour l'éliminer. Il est intéressant de préciser que, selon cette théorie, c'est parce qu'il avait découvert l'identité de l'assassin de Bruce Lee que Brandon Lee, son fils – également acteur spécialisé en arts martiaux –, aurait été « accidentellement » abattu lors du tournage du film *The Crow*.

L'histoire la plus rocambolesque concernant la mort de Bruce Lee est qu'une prostituée l'aurait tué dans un élan de panique. Selon cette théorie, Bruce Lee, stimulé par des aphrodisiaques particulièrement puissants, serait devenu violent durant les ébats. Craignant pour sa vie, la prostituée se serait alors emparée du premier objet lourd qu'elle aurait trouvé – un cendrier en verre – et aurait frappé Bruce Lee sur le crâne. Celui-ci serait tombé dans un coma dont il ne devait jamais se réveiller.

On ne compte plus les documentaires, livres et magazines prétendant tous détenir la vérité sur la mort de Bruce Lee. Pourtant, à ce jour, le mystère n'a toujours pas été éclairci, et il ne semble pas prêt de se dissiper.

Cantines écolières

Avant que le concept de nutrition se généralise, les cantines des écoles étaient loin d'être des modèles d'alimentation équilibrée : aliments gras, indigestes… Les plats servis aux enfants étaient peu sains, voire nocifs. Or, pour certains, il ne fait aucun doute que les écoliers ont été utilisés par le gouvernement qui prévoyait de les asservir à travers la nourriture.

En plus d'être lourds à digérer, les aliments servis dans les cantines, tels que frites, cuisses de poulet ou steaks étaient proposés à des prix dépassant largement leur valeur. Le gouvernement aurait amassé des millions grâce aux entreprises fournissant les repas écoliers. Et le complot ne s'arrêtait pas là…

À long terme, les écoliers, habitués aux sucres et aux graisses, ne pourraient s'empêcher de préférer les aliments riches. Arrivés à l'âge adulte, ils seraient tous en surpoids et, pour y remédier, auraient recours à des médicaments onéreux, produits par des entreprises pharmaceutiques en liaison étroite avec le gouvernement. Peu à peu, ces médicaments les rendraient dépendants. Le gouvernement n'aurait ainsi plus qu'à empocher tranquillement les recettes spectaculaires réalisées par la vente des médicaments, et recommencer la même opération avec la génération suivante.

La catastrophe de Port Chicago

Dans la nuit du 17 juillet 1944, deux cargos de munitions entraient en collision dans la base navale de Chicago. L'explosion coûta la vie à des centaines de conscrits de la marine américaine. Les deux cargos ainsi que le quai de chargement furent complètement détruits, et la ville voisine de Port Chicago essuya des dommages importants. Plus de 300 marins américains furent tués sur le coup, et plusieurs centaines d'autres furent mutilés à vie. L'événement est considéré comme la catastrophe alliée la plus importante de la Seconde Guerre mondiale.

Officiellement, le premier test nucléaire eut lieu à Alamogordo au Nouveau-Mexique. Certains pensent, cependant, que la catastrophe de Port Chicago était elle-même une expérience atomique. À l'époque, les caractéristiques de la bombe U-235 utilisée à Hiroshima avaient déjà été mises au point. Fin mars 1944, le matériel nécessaire à la construction d'au moins trois bombes était déjà commandé. 74 kg d'uranium étaient déjà disponibles dès le mois de décembre de l'année précédente. Le gouvernement américain a toujours soutenu qu'il n'y avait à l'époque pas assez d'uranium disponible pour pouvoir créer une bombe. Or, ces éléments semblent prouver le contraire. Seuls 15,5 kg d'uranium sont en fait nécessaires pour construire une bombe atomique. Si une arme nucléaire a effectivement été testée à Port Chicago, elle faisait certainement partie des armes construites après mars 1944.

L'ampleur des dégâts est telle qu'elle semble indiquer que la force de l'explosion était bien supérieure à celle qu'auraient pu provoquer des centaines de tonnes de puissants explosifs : les cargos furent complètement désintégrés, et les débris projetés sur plusieurs kilomètres. Les témoins de la catastrophe rapportèrent aussi avoir vu un éclair blanc aveuglant atteignant des millions de degrés Celsius en seulement quelques millièmes de seconde, ce qui est caractéristique des explosions nucléaires. La boule de feu et le nuage de condensation observés font également penser à une expérience atomique.

L'équipe du laboratoire national de Los Alamos conclut, après analyse des données de l'accident, que les dégâts causés correspondaient à ce qu'on attendrait d'une explosion nucléaire mineure. Des copies des documents étudiés furent conservées pour un usage privé par le technicien photo de l'équipe, Paul Masters. En 1980, l'un d'entre eux fut redécouvert par hasard par Peter Vogel sur un marché aux puces : le document mentionnait « un champignon de 5 500 m de haut, caractéristique de Port Chicago ». Ce document incita Vogel à enquêter sur la catastrophe. Son hypothèse suivant laquelle l'explosion de Port Chicago aurait été causée par une bombe nucléaire suscita de nombreuses controverses. Vogel consacra néanmoins vingt ans de recherches au sujet. Ses théories et les indices qu'il recueillit sont détaillés dans son livre *La Dernière Vague de Port Chicago* (*The Last Wave from Port Chicago*), disponible en ligne en anglais.

Chemtrails

Les *chemtrails* (selon la contraction de l'anglais « *chemical trails* ») sont ces épandages de produits nocifs que certains avions répandraient dans le ciel afin de nuire à la population mondiale. Ces traînées chimiques ont la même apparence que les traînées de condensation inoffensives produites par les avions habituels, ce qui leur permet de ne pas éveiller les soupçons.

Cette technologie aurait été mise au point sous l'ère du président américain Ronald Reagan au cours du programme de défense antimissile dit « Guerre des étoiles » qu'il lança dans les années 1980. Elle serait maintenant utilisée en secret par un cartel obéissant aux ordres du gouvernement afin de contrôler la population mondiale. Avec la diminution des espaces habitables et des ressources naturelles, la surpopulation est devenue un phénomène de plus en plus problématique. Et certains ont peut-être décidé d'employer des moyens radicaux pour y remédier…

Suivant cette hypothèse, ces avions de la mort seraient responsables d'avoir diffusé quelques-unes des maladies infectieuses potentiellement mortelles qui ont récemment frappé la population, telles que les virus H1N1 et SRAS – qui auraient été mis au point dans des laboratoires secrets.

L'autre partie de ce plan est de préparer les parcs nationaux du monde à agir comme des micro-biosphères où seront conservés les animaux jusqu'à l'avènement d'une nouvelle ère où la population humaine aura été réduite à une fraction seulement de son nombre actuel.

Selon d'autres théories, les *chemtrails* seraient utilisés par la droite capitaliste afin de masquer l'impact des gaz à effet de serre sur le réchauffement climatique. L'ajout de soufre dans la stratosphère crée une sorte de brume froide qui a, à court terme, un effet positif sur la température planétaire. Ce processus, baptisé « obscurcissement planétaire », permettrait aux grandes industries de poursuivre leurs pratiques lucratives sans être inquiétées et d'éliminer des concurrents aux méthodes plus écologiques.

Une autre théorie avance que l'épandage de produits chimiques n'est qu'une facette d'une arme de modification climatique, développée par le gouvernement américain sous couvert d'un programme scientifique de recherche sur l'ionosphère, le HAARP (*High Frequency Active Auroral Research Program*). Cette arme aurait été mise au point pour mieux servir les intérêts de l'industrie pétrolière et des personnalités politiques qui y sont associées.

Les *chemtrails* auraient même été utilisés pour déclencher le tsunami de 2004 dans l'océan Indien – afin d'avoir la mainmise sur les réserves pétrolières de la province d'Aceh. C'est cette même arme qui aurait été employée pour décupler la force de l'ouragan Katrina, cette tempête qui, en gelant la production de pétrole et de gaz bruts dans les régions environnantes, a permis aux compagnies pétrolières américaines d'imposer des prix exorbitants.

Les partisans de cette théorie pensent que ces épandages seraient également liés au tremblement de terre qui a frappé la province du Sichuan, en Chine, en 2008, une « catastrophe naturelle » qui avait lourdement affecté l'économie galopante du pays. Les États-Unis ont-ils souhaité se venger de la Chine, qui commençait à menacer leur suprématie au sein de la hiérarchie économique mondiale ?

D'autres pensent que les *chemtrails* ne sont pas l'invention du gouvernement américain mais d'un Nouvel Ordre mondial secret prévoyant de déstabiliser puis d'affaiblir les superpuissances. Il sera ensuite facile d'imposer une autocratie toute-puissante sans rencontrer la moindre résistance...

Christopher Marlowe

En 1593, Christopher Marlowe, l'un des plus grands poètes et dramaturges d'Angleterre, fut poignardé à mort par un certain Ingram Frizer à l'âge de 29 ans. Les historiens s'accordent à dire que son meurtre s'est produit à l'issue d'une rixe dans un bar (plus précisément, à propos d'un désaccord sur qui devait payer la note) mais certains pensent que son meurtre pourrait avoir une cause politique. Peu avant sa mort, Marlowe avait fait l'objet d'accusations de blasphème, de subversion et d'homosexualité qui avaient mis à mal son image publique ; il avait aussi été accusé d'athéisme après avoir été dénoncé par son ami le dramaturge Thomas Kyd. Certains universitaires pensent que Marlowe a été assassiné en raison de ses opinions sacrilèges par Sir Francis Walsingham, un sympathisant puritain et agent d'Elizabeth Ire. D'autres accusent les royalistes, en particulier les partisans du comte d'Essex, de l'avoir exécuté. Coïncidence troublante, l'assassin de Marlowe fut finalement gracié par la reine.

Au seizième siècle, les crimes dont Marlowe était accusé l'exposaient au risque d'être brûlé, ébouillanté vivant ou encore pendu, noyé et écartelé. Certains pensent qu'il aurait alors simulé sa propre mort pour échapper à une fin douloureuse. S'il s'était contenté de fuir le pays ou de se cacher, le dramaturge se serait condamné lui-même à vivre comme un fugitif jusqu'à la fin de sa vie. En mettant en scène sa propre mort, en revanche, il aurait ensuite pu commencer une nouvelle vie sous une autre identité. Les rumeurs ont couru que Marlowe travaillait comme espion pour le gouvernement depuis ses études à l'université de Cambridge, où il aurait noué les contacts nécessaires et engrangé assez d'expérience pour mettre au point un tel plan. Le fait que l'enquête du coroner puis la mise en terre du corps (dans une tombe anonyme) furent bouclées moins de 48 heures après « l'assassinat » rend d'autant plus crédible la thèse de la mort simulée.

À ce jour, on ne dispose d'aucun élément concret permettant de lever le voile sur la mort de Christopher Marlowe. Même si, officiellement, Ingram Frizer est le coupable désigné du meurtre, on ne saura sans doute jamais ce qu'il est réellement advenu du dramaturge anglais.

Compagnies pharmaceutiques

Les compagnies pharmaceutiques font partie des plus grandes corporations au monde. Chacun d'entre nous dépend des médicaments qu'elles produisent, de l'aspirine aux remèdes anti-rhumes en passant par les traitements contre le diabète et le cancer. C'est la loi de l'offre et de la demande... À moins qu'il ne s'agisse d'autre chose ?

De nombreuses personnes pensent que les compagnies pharmaceutiques représentent un pouvoir pervers au sein du système de santé mondial, un pouvoir qui perpétue la consommation de drogues onéreuses au détriment de traitements moins coûteux. Des rapports impliquant de grands noms de la production pharmaceutique ont révélé des pratiques douteuses concernant le montant des prix et la mise sur le marché. Mais il ne s'agit que de la partie émergée de l'iceberg. Pour les compagnies, la révélation de ces activités illégales est un moindre mal : elles leur permettent, contre le simple paiement d'une amende, de garder secrètes des pratiques bien moins éthiques...

Selon certaines personnes, l'industrie pharmaceutique contrôlerait presque chaque système de santé du monde. Elle se servirait de son incroyable influence pour remplacer des médicaments naturels non brevetables par des alternatives artificielles leur assurant des rendements juteux. Les compagnies pharmaceutiques seraient allées jusqu'à supprimer ou dissimuler des traitements contre le cancer, le diabète et le SIDA ou contre les maladies contagieuses qui ont récemment semé une panique mondiale, comme le SRAS. Est-ce parce la fin de ces maladies signerait du même coup la fin des profits de l'industrie ?

En plus de dissimuler la découverte de traitements, les fabricants de médicaments font aussi en sorte de maintenir une forte incidence de malades dans la population en s'assurant que les drogues produites ne soignent pas réellement, et dans certains cas produisent même de nouvelles souches de maladie – assurant ainsi aux firmes pharmaceutiques des revenus constants. Et ces compagnies multimillionnaires n'ont aucune raison de souhaiter qu'un tel business s'arrête. Durant la crise du virus H1N1, une compagnie pharmaceutique américaine laissa échapper « par erreur » un lot de traitements contre la grippe contaminés. S'agissait-il d'une simple erreur, ou d'une volonté de créer de nouveaux malades afin de vendre plus de traitements ?

Si l'on en croit une théorie alternative, ces manigances ne sont pas seulement motivées par le profit, mais par un objectif plus sombre encore : la domination du monde. Les dirigeants des grandes compagnies pharmaceutiques appartiendraient à une cabale secrète dont le but est d'imposer un gouvernement unique, un État fasciste dirigé par une élite à laquelle la population devrait une obéissance totale. La prédominance de maladies handicapantes voire mortelles pour certaines permet aux compagnies de financer la révolution. Et lorsque le moment viendra, la population, affaiblie, tombera sans protester aux mains de la classe maîtresse…

Complot virtuel

On a longtemps soupçonné qu'un complot était à l'œuvre pour faire tomber Bill Clinton lorsqu'il occupait la tête de la présidence. Si c'est le cas, il ne s'agissait pas d'un complot ordinaire : au lieu de se réunir pour mettre au point un plan d'attaque, comme pour l'assassinat d'Abraham Lincoln, les conspirateurs auraient agi tout autrement. C'est la technique du complot virtuel.

Lorsqu'on parle de « complot » ou de « conspiration », on entend habituellement un groupe d'individus mettant au point un plan secret avant d'attaquer au moment propice pour faire tomber un dirigeant ou un rival politique. Avec le complot virtuel, l'objectif est le même, mais la tactique est différente : au lieu d'être forgé dans l'ombre, le complot recherche la plus grande visibilité possible afin de convaincre un maximum de monde. Le but est de créer un mouvement de masse pour rallier les gens à sa cause.

Sous couvert de liberté d'expression, les conspirateurs dits « virtuels » expriment haut et fort leur mécontentement en diffusant à travers la presse de fausses allégations. Que celles-ci soient crédibles ou non, le résultat est le même : la personne visée est rendue vulnérable.

Les conspirateurs virtuels qui ont lancé la rumeur selon laquelle le clan Clinton aurait assassiné Vincent Foster, conseiller à la Maison-Blanche, ne se souciaient pas en réalité de savoir si les Clinton étaient coupables ou non. Leur intérêt n'était pas d'étudier les preuves qui pourraient les incriminer, mais simplement de faire en sorte que la rumeur prenne assez d'ampleur pour que l'opinion publique les associe à des meurtriers. De même, il importait peu de savoir si l'administration Clinton avait réellement alloué des tombes à leurs partisans politiques au cimetière national d'Arlington. Les détails des escapades sexuelles de Clinton ne représentaient en elles-mêmes que peu d'intérêt également : peu importait pour les conspirateurs que Clinton ait ou non violé une femme en Arkansas à l'époque où il était avocat général dans son État. L'important était de semer la graine du doute dans la population en se servant de la presse pour relayer les rumeurs.

De plus, ce nouveau type de conspirateurs ne risque presque rien : au pire, ils essuieront la colère des journalistes à qui ils ont fait perdre leur temps. Plus la rumeur sera scandaleuse, plus elle fera vendre, et plus elle prendra de l'ampleur. Et si la victime de ces allégations se fend d'un démenti officiel, c'est encore mieux : cette fois, la rumeur sera lancée pour de bon.

La conquête de la Lune

L'Homme a-t-il vraiment marché sur la Lune ? Parmi les 500 millions de spectateurs à avoir assisté au moment historique où, le 20 juillet 1969 (21 juillet en Europe), Neil Amstrong a posé le pied sur la Lune, certains ont émis des doutes sur l'authenticité du film ; la conquête de l'espace aurait-elle pu être artificiellement mise en scène ? La NASA a-t-elle utilisé des effets cinématographiques pour pouvoir s'attribuer la victoire dans la course à l'espace qu'elle menait contre d'autres nations, la Russie en particulier ? Lorsque les astronautes se posèrent sur la Lune, la guerre froide traversait une période particulièrement instable. Le premier pays à atteindre la Lune pourrait, pensait-on alors, s'en servir comme base d'armes nucléaires. On comprend donc facilement pourquoi la NASA et le gouvernement américain auraient eu tout intérêt à faire croire au monde que les Américains avaient gagné la course à l'espace.

Les soupçons se firent plus pressants à la sortie du film *Capricorn One*, produit par Warner Bros en 1978. Cette fiction relate l'histoire d'une mission spatiale simulée pour faire croire au public que les États-Unis ont réussi à se poser sur Mars. Le film va même jusqu'à expliquer comment les trucages auraient pu être réalisés pour mettre en place la supercherie, ce qui conduisit un certain nombre de spectateurs à se demander si les clichés de la

Lune pris à la fin des années 1960 et au début des années 1970 n'étaient pas eux aussi des faux.

Ceux qui pensent que la conquête de la Lune est un canular avancent de nombreux éléments suspects : par exemple, le drapeau américain planté par les astronautes semble flotter au vent, alors qu'il n'y a pas d'atmosphère dans l'espace. Les différents angles des ombres sur la Lune – où le Soleil est la seule source de lumière à pouvoir se refléter sur la surface des objets – montrent que la lumière a été produite en studio. De plus, on n'aperçoit aucune étoile sur les photos prises par les astronautes, alors que celles-ci auraient dû apparaître clairement en raison de l'absence d'atmosphère sur la lune.

Chaque argument avancé par ceux qui croient au canular, cependant, peut être justifié par un contre-argument. Alors, la mission Apollo, supercherie ou événement historique ? Aussi surprenant que cela puisse paraître, il aurait en fait été plus difficile, avec la technologie dont le cinéma disposait à l'époque, de recréer en studio l'environnement lunaire que d'envoyer réellement un homme sur la Lune ! Même des films modernes, comme *Apollo 13*, ont eu beaucoup de mal à reproduire l'effet d'apesanteur pendant plus de 15 secondes. Il serait difficile d'expliquer comment, à la fin des années 60, on aurait pu produire un film simulant des scènes d'apesanteur aussi longues.

De même, il aurait fallu déployer des moyens considérables pour mettre en scène le faux lancement de l'impressionnante fusée spatiale *Saturn V*. Il aurait été plus simple d'aller jusqu'au bout du projet que d'élaborer de gigantesques effets spéciaux pour faire croire à des millions de spectateurs au faux décollage de la fusée.

Cela dit, il reste possible que la NASA n'ait pas tout révélé de la mission Apollo. Si l'homme a réellement posé le pied sur la Lune, a-t-on découvert certains objets ou constructions qui ont été cachés au public ? La mission avait-elle un but autre que le progrès spatial ? Sachant que toutes les informations qui nous parviennent sont d'abord filtrées par la NASA, il s'avère presque impossible de connaître toute la vérité sur la conquête de la Lune.

Contrôle de la population

Nous aimerions tous croire que les sombres projets « d'épuration ethnique » d'Hitler appartiennent à un passé révolu. Mais comment être sûr que nos propres gouvernements actuels n'ont pas déjà investi dans des plans de contrôle de la population ? Selon certains, ces plans seraient entrés en vigueur depuis déjà plusieurs décennies.

Dans son livre *La Guerre des virus*, le Dr Leonard Horowtiz affirme que les laboratoires de guerre biologique américains ont mis en place en place un sinistre programme d'épuration de la population en collaboration avec l'industrie médicale. Horowitz pense pouvoir prouver que les vaccins contre l'hépatite B infectés par le virus du SIDA ont été volontairement administrés aux noirs et aux homosexuels dans les villes de New York et San Francisco ainsi qu'en Afrique du Sud via l'Organisation mondiale de la Santé de l'ONU. Or, ces villes ont justement été identifiées comme les épicentres de l'épidémie.

Horowitz affirme même – sans toutefois avancer de preuves concrètes – que la génération entière du baby boom a été contaminée par des vaccins contre la poliomyélite ; ceux-ci, tout en étant effectivement efficaces contre la polio, auraient été infectés par des virus augmentant les risques des personnes vaccinées de succomber à un cancer. Si l'hypothèse s'avérait, environ une personne sur trois de la génération du baby boom devrait développer un cancer au cours de sa vie.

Horowitz explique ainsi que les virus expérimentaux injectés dans les vaccins auraient d'abord été administrés aux soldats durant leur service militaire avant la guerre du Golfe. Ces mêmes virus seraient responsables du fameux « syndrome de la guerre du Golfe » qui a déjà touché plus de 200 000 vétérans et contaminé de nombreuses familles.

Quelle sera la prochaine étape de cette épuration programmée ? La nourriture industrialisée qui rapporte chaque année des millions aux *fast food* représente-elle une autre forme de contrôle de la population ? Le marketing agressif de ces chaînes a déjà réussi le pari d'habituer les gens à ce type d'alimentation. Mais sait-on ce qu'elle contient vraiment ?

Et si toutes les maladies que nous connaissons avaient été créées artificiellement par une armée d'« hommes en noir » ? On ne peut que constater que, malgré les avancées de la médecine, des millions de personnes meurent prématurément chaque année. Peut-être parce que le système de « santé » actuel est plus préoccupé par la création de nouvelles maladies que par leur guérison ?

David Kelly

En juillet 2003, le Dr David Kelly, spécialiste des armes, trouvait la mort dans des circonstances suspectes quelques jours seulement après avoir admis devant le Comité spécial aux Affaires étrangères s'être entretenu avec un envoyé spécial de la BBC, Andrew Gilligan. Suite à cet entretien, la BBC diffusa un reportage affirmant que la menace présentée par l'Irak avait été exagérée dans le dossier gouvernemental de septembre 2002, qui avait rendu publique l'existence de certaines armes de destruction massive.

Le comité d'enquête sur la mort de Kelly, mené par un certain Lord Hutton, fut chargé de déterminer si le Dr Kelly avait des tendances suicidaires, ou si d'autres personnes auraient pu souhaiter sa mort. Le 28 janvier 2004, Lord Hutton livra les conclusions de leur enquête lors d'une déclaration : « Le Dr Kelly s'est suicidé en se coupant le poignet gauche. Sa mort a été hâtée par les comprimés de co-proxamol qu'il a ingurgités. Je suis soulagé de savoir qu'il n'a pas souffert, et d'autant plus soulagé de savoir qu'aucun tiers n'était impliqué dans sa mort. »

Le médecin légiste du comité d'enquête, le Dr Nicholas Hunt, conclut que le Dr Kelly était mort d'une hémorragie suite à la blessure qu'il s'était infligée. D'autres spécialistes, pourtant, réfutent ces affirmations. Dans une lettre publiée dans le célèbre quotidien britannique *The Guardian*, trois experts médicaux – David Halpin, C. Stephen Frost et Searle Sennett – exprimèrent l'opinion que la conclusion du Dr Hunt était « hautement improbable » : il avait affirmé que seule l'artère ulnaire avait été tranchée. Or, la section complète aurait causé la rétraction de l'artère, permettant alors au sang de coaguler. Pour que cette blessure soit mortelle, le Dr Kelly aurait dû perdre bien plus de sang que ne l'a signalé l'équipe d'ambulanciers.

Le toxicologue judiciaire de l'enquête, Alexander Allan, indiqua que le taux de drogues contenues dans le sang était plus de deux tiers inférieur à ce qu'il aurait été nécessaire pour une overdose. « Nous contestons le fait que le Dr Kelly ait pu mourir d'hémorragie ou d'une ingestion de co-proxamol, ou des deux à la fois », écrirent Halpin, Frost et Sennett en conclusion de leur lettre. Dans ce cas, de quoi serait mort le Dr Kelly ? Et pourquoi le public est-il tenu écarté de la vérité ?

Le Dr David Kelly avait nié avoir été la principale source d'information de la BBC, et le ministère de la Défense récusa avoir laissé entendre, à quelque moment que ce soit, que l'affaire pourrait coûter son poste au Dr Kelly. Cependant, David Broucher, diplomate britannique et ami du docteur, confia au comité d'enquête mené par Hutton que, quelques heures avant sa disparition, celui-ci avait évoqué sa crise dans un e-mail, évoquant entre autres « de sombres acteurs jouant un jeu sinistre ». Lors d'autres conversations, Kelly semblait avoir pressenti sa fin prochaine, disant même qu'il « finirait probablement assassiné dans un bois » si l'invasion de l'Irak par les Britanniques venait à se poursuivre.

En 2007, Norman Baker, parlementaire libéral démocrate pour la ville de Lewes, publia un livre intitulé *La Mort étrange de David Kelly* (*The Strange Death of David Kelly*), dans lequel il expose de nombreuses omissions et contradictions de l'affaire, remettant en cause les conclusions du comité d'enquête. Selon lui, Kelly ne s'est pas suicidé : il s'agirait seulement d'une couverture visant à protéger la police de Thames Valley, qui était responsable de l'enquête officielle. Un proche de Kelly, cependant, a rejeté ses théories de bout en bout : « J'ai lu le livre de A à Z, et je n'en crois pas un mot. »

Dessins animés

Pour certains, les dessins animés destinés aux enfants ne sont qu'une forme à peine déguisée de manipulation mentale. Il était donc prévisible qu'un jour, ce lien se manifeste d'une façon directe. Lorsqu'un étrange incident se produisit au Japon, causant nausées et crises de type épileptique chez près de 700 enfants, des recherches sérieuses furent lancées afin d'étudier les effets physiques induits par la télévision – et les raisons de ces effets.

Ces convulsions auraient été provoquées par un certain épisode d'une série animée extrêmement populaire chez les jeunes Japonais. L'une des scènes d'explosion avait été réalisée à l'aide d'éclairage stroboscopique qui aurait, en stimulant les cellules nerveuses des enfants, causé convulsions, sensation d'étouffement, troubles de la vision et nausées.

L'éclairage stroboscopique aurait un effet similaire à celui de l'hypnose – ce n'est d'ailleurs pas la première fois que des accros du petit écran ont été pris de convulsions de type épileptique. Les stimuli électroniques semblent pouvoir provoquer des micro-décharges électriques dans le cerveau d'un individu, d'où les convulsions.

Donald Duck et l'impôt sur le revenu

Durant des années, les États-Unis ont nourri l'espoir d'un idéal démocratique où les services publics seraient financés par un impôt volontaire sur le revenu. Malheureusement, les citoyens se montrèrent moins patriotes que prévu... Lorsqu'il fallut financer l'effort de guerre durant la Seconde Guerre mondiale, seuls 11 % des Américains payaient l'impôt volontaire, et il devint clair que la bonne volonté des citoyens avait besoin d'un petit encouragement. Henry Morgenthau, alors secrétaire au Trésor, contacta Walt Disney pour lui demander de l'aider « à inciter les gens à payer l'impôt sur le revenu. »

Le film produit par Walt Disney présentait une histoire très simple au message symbolique évident. Au début du film, Donald Duck, incarnation du patriotisme par excellence, semble peu décidé à payer son impôt sur le revenu. Mais, après s'être vu expliquer que son impôt pourrait contribuer à faire gagner la guerre aux États-Unis, Donald change complètement d'attitude et remplit son formulaire sur le revenu avec tant d'enthousiasme que, trop impatient, il décide même de se rendre en courant jusqu'en Californie pour le remettre en personne. Les séances de cinéma du film furent rendues gratuites pour tous. Le département du Trésor estime que 60 millions d'Américains assistèrent à la projection, et une enquête indique que les soumissions volontaires à l'impôt sur le revenu augmentèrent de 37 %.

Jusque-là, les faits sont attestés. Mais y avait-il aussi de la part du gouvernement une volonté d'accoutumer les gens à verser volontairement une partie de leurs revenus à l'État ? En encourageant le versement d'un impôt volontaire, les autorités préparaient peut-être le terrain à un autre impôt, obligatoire cette fois.

Le film de Disney continua d'être diffusé pendant toute la durée de la guerre, jouant sur la corde sensible des spectateurs pour les inciter à payer l'impôt. Mais, tout sympathique qu'il soit, Donald Duck n'était peut-être là que pour préparer les citoyens à verser à l'État l'ensemble de leurs revenus…

Drogues

Dans *Le Meilleur des mondes*, Aldous Huxley dépeint un régime totalitaire où le gouvernement maintient ses citoyens sous contrôle en les faisant ingérer de la drogue. Et si cette fiction était plus proche de la réalité qu'on ne le pense ?

Andrew Cooper, éditeur de l'hebdomadaire new-yorkais *The City Sun*, avance la théorie que les communautés blanches de classe moyenne incitent les communautés noires à consommer de l'héroïne afin de détourner les jeunes des activités politiques. Et il semblerait que cette situation ne soit pas réservée aux communautés afro-américaines : le sénateur du Massachusetts, John Kerry, fit même mener une enquête sur ce qu'il considérait comme un complot organisé. Il en conclut que la CIA et le gouvernement américain avaient facilité la contrebande de cocaïne et étaient de mèche avec les magnats de la drogue nicaraguayens, dans le cadre d'un complot pour renverser l'ancien gouvernement socialiste du Nicaragua.

Dès l'époque de la guerre du Vietnam, la rumeur courait déjà que le gouvernement américain déposait volontairement des drogues dans les quartiers noirs. C'est ensuite l'héroïne qui aurait été utilisée afin d'endiguer le militantisme croissant des communautés noires du pays. L'activiste noir politique Dick Gregory ne cache pas ses craintes pour l'avenir : « Rien, dans l'histoire de notre civilisation entière, n'égalera l'horreur de ce qu'on découvrira bientôt. L'esclavage était déjà terrible mais, au moins, les blancs n'ont pas eu la mauvaise foi de dire que nous étions venus de notre plein gré. » Tandis que, ajoute-t-il, ce sont maintenant les noirs qui sont rendus responsables de la hausse de consommation des drogues.

Ebola

Les théories du complot concernant les épidémies localisées du virus Ebola en République démocratique du Congo (anciennement appelé Zaïre, d'où le nom de la souche principale du virus, Ebola-Zaïre) sont aussi répandues que le virus lui-même. Le virus fit 300 victimes lorsqu'il se déclara pour la première fois, et des dizaines d'autres vagues de contamination ont depuis été recensées par la République démocratique du Congo, dont une en 2007 qui coûta la vie à 187 personnes. En 2008, une nouvelle souche découverte en Ouganda infecta presque 150 personnes. Et le virus a déjà fait des milliers de victimes sur le seul continent africain.

Le virus Ebola incube à l'intérieur de ses « hôtes » humains en moins de deux semaines. Il désagrège les organes internes et cause d'importants caillots de sang, des hémorragies et des lésions au cerveau. De plus, il est incurable, bien qu'environ dix pour cent des personnes infectées parviennent à survivre.

De même que le SIDA est parfois soupçonné d'avoir été manufacturé pour éliminer la soi-disant « vermine » humaine (noirs, homosexuels et drogués), il a été suggéré que le virus Ebola aurait lui aussi été créé artificiellement. Peut-on imaginer que l'armée américaine, le Nouvel Ordre mondial, les Nations unies ou encore le Centre de contrôle des maladies aient développé un virus mortel afin d'éliminer ces tranches de la population ? Pire, leur but était-il de déclencher une pandémie mondiale ? Quelle que soit la réponse, l'hypothèse fait froid dans le dos.

Echelon

Depuis les dernières décennies du 20e siècle jusqu'au début du 21e, les gouvernements occidentaux se sont largement démocratisés et sont devenus de plus en plus libéraux. Un domaine cependant reste entouré de mystère et de confidentialité : le rôle des espions. La réticence des gouvernements à s'exprimer sur tout sujet relatif aux services de sécurité a créé une aura de suspicion autour des opérations clandestines réalisées en notre nom. Que nous cache-t-on ?

Beaucoup de citoyens s'inquiètent de savoir qui, au juste, fait l'objet d'espionnage de la part du M15 et du M16. La prochaine fois que vous passerez un coup de téléphone, enverrez un e-mail, télex ou fax, attention : tout ce que vous direz ou écrirez pourrait être surveillé. Malgré la mise en place de lois sur la protection de la vie privée et les droits de l'Homme dans plusieurs pays, les rumeurs persistent qu'une énorme machine de surveillance électronique serait utilisée pour intercepter le flux de communications internationales à l'échelle du monde entier, lequel serait ensuite analysé par des méga-ordinateurs. Si cette idée était déjà répandue dès le début de la guerre froide, c'est dans les années 1980 qu'on a eu la preuve formelle que ce plan digne d'un livre de science-fiction existait bel et bien. Rongés par le remords, les chefs de services secrets néo-zélandais admirent finalement que le système existait depuis une génération déjà. Baptisé Echelon, celui-ci avait été mis en place suite à un traité connu sous le nom d'Accord de sécurité anglo-américain, signé en 1947 entre les gouvernements des États-Unis, du Royaume-Uni, du Canada, de l'Australie et de la Nouvelle-Zélande.

Le but de cette alliance était de créer un réseau d'espionnage mondial disposant d'une vaste base d'information que les signataires du traité pourraient ensuite faire analyser par leurs services de sécurité. Bien qu'il soit illégal au Royaume-Uni et aux États-Unis d'espionner les citoyens et les entreprises nationales, les membres de l'alliance contournèrent le problème en s'espionnant mutuellement – c'est-à-dire que, si le M16 souhaitait enquêter sur un individu à Londres, plutôt que de s'engager dans un long processus pour demander un mandat, il demandait à son homologue américain de l'espionner à sa place, puis de partager les informations.

Le système fut mis au point par l'Agence de sécurité américaine internationale, laquelle avait accès à l'ensemble des informations ; cependant, les autres membres étaient seulement autorisés à consulter les secteurs d'information s'appliquant à leurs sphères d'influences particulières. Pièce maîtresse de l'opération, le dictionnaire Echelon comprenait une vaste ressource de mots clés incluant noms, professions, adresses, e-mails et téléphones de milliers d'individus. Les millions de communications envoyées chaque jour dans le monde sont automatiquement scannées afin de repérer des noms, expressions, numéros et adresses préenregistrés dans la base de données. Dès qu'un élément est reconnu, il est aussitôt transcrit et utilisé par ceux chargés de recueillir les informations.

Le système a déjà provoqué la colère des pays de l'Union européenne qui ne sont pas membres du pacte. Devant un problème aussi sensible, un rapport parlementaire européen sur l'affaire a dû être ordonné. Un membre du Parlement qualifia le système de « dangereuse atteinte à la souveraineté des États membres », tandis que la France s'inquiète de ce qu'elle considère comme l'enregistrement illégal de conversations d'affaires ou du gouvernement, dont la teneur n'est dévoilée qu'aux alliés d'Echelon. Le rapport européen mentionne qu'il existe « des preuves flagrantes » prouvant que ces informations sont utilisées « dans le but d'avantager commercialement les entreprises ». Les médias français ont notamment accusé Boeing d'avoir eu vent d'informations secrètes leur permettant de s'attribuer les contrats d'Airbus, son concurrent européen.

Potentiellement, le système pourrait permettre de combattre le terrorisme, le crime et plus généralement tout ce qui menace la sécurité nationale. Mais ses implications pour les libertés civiles et sa légitimité pour le moins contestable soulèvent des questions cruciales pour les citoyens comme pour les politiciens. Si ce système est bien destiné à nous protéger, pourquoi tant de mystères autour de sa fonction et de sa composition précise ? Pourquoi avoir caché jusqu'à son existence ? Autant dire que le tout est loin d'inspirer confiance…

Elvis Presley

Si, comme certains l'affirment, Elvis travaillait pour la CIA, cela remettrait en cause tout ce qu'on sait lui. Son ascension fulgurante vers la gloire aurait été une couverture parfaite pour établir une base militaire top secrète en plein cœur de Memphis, dans le Tennessee. Le site était tellement célèbre que les dirigeants de la CIA n'auraient eu aucun souci à se faire concernant leurs activités : qui donc pourrait suspecter le « King » en personne d'abriter un réseau d'espions international ? Bien sûr, certaines précautions auraient tout de même été nécessaires : un réseau de tunnels élaboré fut construit afin d'éviter un rassemblement de véhicules gouvernementaux trop curieux. À la mort d'Elvis Presley, le gouvernement prit des mesures préventives pour s'assurer que la demeure resterait acquise à la famille Presley. Si l'on en croit la rumeur, le réseau de tunnel est toujours actif de nos jours, malgré les hordes de touristes reçus chaque jour à Graceland.

Une théorie totalement différente affirme haut et fort qu'Elvis était loin d'être le personnage sympathique qu'on croyait. Il aurait même (tenez-vous bien) assassiné le président Kennedy parce que celui-ci commençait à lui voler la vedette dans les journaux. Mais, si Elvis a bien tué Kennedy, qui a tué Elvis ? Si la bataille des célébrités pour l'attention des médias est bien le motif du meurtre, il ne serait pas surprenant qu'Elvis ait lui-même été assassiné par John Lennon, jaloux d'être toujours dans l'ombre du King.

Et la conspiration ne s'arrête pas là. Il semblerait que John Lennon ait quelque peu sous-estimé l'influence d'Elvis – et aurait été assassiné en 1980 par un partisan de celui-ci, un certain… Michael Jackson ! La boucle de la conspiration fut bouclée lorsque Michael Jackson épousa Lisa Marie, la fille d'Elvis. Quant à Jackson, il aurait lui-même été assassiné par un fan des Beatles – ou par un ancien membre lui-même – afin de se venger. Ces célébrités sont décidément rancunières…

Reste, bien sûr, la théorie la plus connue de toutes : Elvis ne serait pas mort le 16 août 1977 comme on le pense. Il aurait mis en scène sa propre mort et serait toujours en vie quelque part dans le monde. Certaines des personnes présentes à son enterrement ont rapporté que le corps présentait des différences physiques avec Elvis : la forme de son nez et de ses sourcils était différente, et ses mains étaient douces alors que, en pratiquant assidu d'arts martiaux, les siennes étaient beaucoup plus calleuses. D'où l'hypothèse qu'il ne s'agissait pas d'Elvis mais d'une réplique en cire destinée à duper les fans venus assister aux obsèques. De plus, une ancienne amie intime d'Elvis reçut, le lendemain de sa mort, une carte signée « El Lancelot » – un surnom affectueux qu'elle lui donnait et que, assure-t-elle, personne d'autre que lui ne pouvait connaître.

Sans compter qu'Elvis aurait eu d'innombrables raisons de vouloir passer pour mort. Juste avant de « décéder », il avait perdu environ 10 000 000 de dollars lors d'une transaction immobilière avec la mafia. Le gouvernement lui aurait proposé de refaire sa vie sous une nouvelle identité en échange de son témoignage contre le réseau du crime organisé. Elvis souffrait aussi du fait d'avoir pris beaucoup de poids et de ne plus être à la hauteur sur scène. Sa mort supposée lui permettait de se retirer facilement du show-business. De plus, il avait déjà simulé une fois sa propre mort en demandant à quelqu'un de lui tirer dessus avec des balles à blanc pendant qu'il activait un mécanisme pour répandre du faux sang. Pourquoi n'aurait-il pas recommencé ?

On ne compte plus les témoignages de personnes soutenant dur comme fer avoir aperçu Elvis. Un mystérieux chanteur masqué se produisant sous le nom d'Orion aurait une voix similaire à s'y méprendre à celle d'Elvis. Il aurait aussi été aperçu travaillant comme vendeur de hamburgers dans plusieurs endroits à la fois. En tout cas, même si Elvis a réellement simulé sa mort, il sera toujours un mythe bien réel.

Extraterrestres

Si l'on n'a encore aucune preuve formelle de l'existence des extraterrestres, de nombreux récits de rencontres et d'enlèvements ont en revanche donné matière à penser que, peut-être, le gouvernement et les dirigeants au pouvoir en savent plus qu'ils ne veulent bien le laisser croire… Mais que veulent au juste les extraterrestres ?

D'une façon inquiétante, certains pensent que tous les dirigeants au pouvoir en Occident sont de mèche avec les extraterrestres. Les gouvernements collaboreraient d'abord avec eux sur un plan militaire : les témoignages attestent que, d'une façon générale, il y a une plus grande concentration d'objets non identifiés à proximité des bases militaires. Dans tous les États-Unis, des centres militaires souterrains sont également tenus secrets. Mais que souhaite donc cacher le gouvernement ? On avance parfois que la zone 51, où se trouve une base militaire secrète, détiendrait des extraterrestres – une rumeur qui persiste depuis l'incident de Roswell en 1947.

De janvier à septembre 2009, on a enregistré plus de témoignages de rencontres avec des ovnis que dans n'importe quelle autre année entière depuis 1997, période à laquelle on a commencé à consigner des archives de témoignages. L'un de ces rapports nous vient d'un pilote qui, alors qu'il survolait le comté d'Oxfordshire, en Angleterre, dit avoir aperçu une soucoupe volante à environ 60 m au-dessus de lui. Le rapport fut transmis au Bureau d'observation des ovnis par les contrôleurs de trafic aérien, sans doute depuis la base de la Royal Air Force ; le porte-parole du ministère de la Défense a d'ailleurs confirmé que c'était de là que provenaient la plupart des rapports.

Naturellement, ce type de rapport n'émane pas seulement de l'armée : en 1962, Alex Birch, un adolescent de 14 ans, photographie ce qui ressemble à un groupe de soucoupes volantes. Malheureusement pour lui, l'explication officielle s'avère plus décevante : le ministère de l'Air a conclu que l'image était simplement due à la réverbération du soleil par des cristaux de glace, ce qui aurait donné l'impression de soucoupes volantes dans le sillage de fumée des avions. Une explication rassurante et rationnelle à même de clore la question rapidement (et surtout de nier l'hypothèse extraterrestre).

Dans l'imaginaire populaire, les aliens sont de petites créatures vertes inoffensives et pas vraiment futées, mais les témoignages de ceux qui prétendent avoir été enlevés par des extraterrestres mentionnent qu'ils ont été neutralisés pour les empêcher de résister. Ce qui donne à penser qu'ils ont peut-être des desseins plus sinistres…

Le cas de Barney et Betty Hill, en 1961, qui ont fait état d'une faille temporelle de deux heures après avoir observé un ovni dans le ciel, aux États-Unis, est édifiant : les séances d'hypnose auxquelles ils ont ensuite été soumis semblent indiquer que non seulement le couple a bel et bien été enlevé, mais qu'il a de plus subi des tests à la fois physiques et mentaux. Les Hill ont décrit très précisément ce qui est maintenant l'archétype de l'extraterrestre – grande tête de couleur grise, yeux en fente… Après six mois d'hypnose, le Dr Simon, thérapeute, rendait ses conclusions : pour lui, le couple Hill avait bien été enlevé et transporté à bord d'un vaisseau. Durant les années qui suivirent, Betty et Barney furent interrogés par de nombreux chercheurs et scientifiques. Aucun d'entre eux n'a pu nier la notion d'enlèvement.

Il est, bien sûr, difficile d'affirmer que les témoignages des Hill ou d'autres personnes ayant prétendu être enlevées par des extraterrestres constituent des preuves de leur existence. Mais est-il si inconcevable de penser que le gouvernement et l'armée pourraient avoir conclu une forme de marché avec eux ? En admettant que les extraterrestres existent, le fait qu'ils aient réussi à atteindre notre galaxie dépasse de loin tout ce que notre technologie et nos connaissances scientifiques primitives nous permettent d'imaginer. De telles connaissances se révéleraient inestimables pour les gouvernements… En échange, pourquoi ne pas laisser ces espèces étrangères effectuer quelques prélèvements et expériences sur des cobayes humains et animaux ? Les témoignages des personnes prétendant avoir été enlevées semblent indiquer que les extraterrestres et ceux avec qui ils traitent sont loin d'avoir des intentions altruistes. Jusqu'où ces expériences pourraient-elles aller ?

On peut aussi imaginer que les extraterrestres ne prétendent explorer notre planète que pour mieux duper les gouvernements, et que leurs intentions sont en fait de nous étudier pour mieux planifier leur future invasion… Si c'était le cas, c'est l'espèce humaine tout entière qui serait menacée. Combien de temps nous reste-t-il avant que les extraterrestres ne prennent le pouvoir sur le monde ?

Cela dit, la plupart des récits concernant des ovnis ne mentionnent aucun contact direct avec les extraterrestres. Ces derniers veulent peut-être donc simplement observer notre planète sans pour autant effectuer des tests ou expériences sur ses habitants. Qui sait, il s'agit peut-être seulement de soucoupes égarées ?

La famille royale britannique n'est pas humaine

La famille royale britannique est un peu l'incarnation de l'excentricité anglaise. Gaffes, scandales, bévues et principes démodés font le quotidien de leur vie aristocratique. Certains de ses membres ont également un physique, disons… atypiques. Serait-ce parce que, comme certains le pensent, il s'agit en fait d'extraterrestres reptiliens infiltrés ?

C'est le prince Philip qui serait à la tête du clan royal. Il n'a d'ailleurs jamais caché sa passion pour les ovnis : abonné à plusieurs magazines sur les extraterrestres, il se serait aussi rendu en personne sur les lieux où des ovnis auraient été aperçus, ainsi que sur des sites où des vaisseaux se seraient écrasés. Tout cela, naturellement, afin de garder le contact avec ses bons vieux amis extraterrestres et de se mettre au parfum sur les derniers projets de domination. Il déteste que sa vie privée soit exposée au public et, en suivant de près les moindres pistes liées aux ovnis, il s'assure de ne laisser filtrer aucune information sur sa véritable identité.

S'il n'est pas absolument certain que le prince Philip soit le doyen de la famille extraterrestre, il ne fait aucun doute qu'il fut l'un des premiers extraterrestres royaux à être créés : la taille des oreilles et du crâne atteste clairement un modèle encore peu perfectionné… (la taille du crâne semble avoir été améliorée depuis, mais les oreilles demeurent un problème). Pour certains, le chef suprême des extraterrestres serait son oncle, Lord Louis Mountbatten. Son intérêt pour les ovnis, qui lui servirait de couverture, aurait ensuite été transmis à son sous-dirigeant, Philip. L'assassinat de son enveloppe terrienne en 1979 par l'IRA irlandaise aurait forcé l'extraterrestre à retourner dans son vaisseau.

Si certains pensent que les extraterrestres sont surtout en voyage d'agrément sur la Terre (ils profitent de leur fausse identité pour se rendre sur des lieux et assister à des événements réservés à une élite), d'autres suggèrent que leurs desseins sont bien plus sinistres...

Parmi ces théoriciens, David Icke, ancien gardien de but de l'équipe de foot de Coventry, reconverti en journaliste sportif, porte-parole du Parti vert et accessoirement fils de Dieu auto-proclamé... Pour lui, la famille royale britannique est au cœur d'un complot d'extraterrestres reptiliens ayant le pouvoir de prendre n'importe quelle apparence. Leur but ? Dominer le monde en créant un État totalitaire unique, gouverné par une espèce d'êtres supérieurs venus de l'espace. George Bush en fait également partie, ce qui expliquerait (naturellement) l'incident du bretzel qui a failli l'étouffer : le processus de métamorphose peut causer des dommages occasionnels aux tissus humains.

À l'occasion, ces extraterrestres apprécieraient aussi un bon verre de sang humain. Et ils seraient prêts à tout pour faire taire ceux qui menaceraient de révéler leur véritable identité – est-ce parce qu'elle avait percé leur secret que la princesse Diana a été tuée ? Un secret qui aurait été préservé grâce à l'insistance de Charles pour faire chambre à part dès le début de leur relation (les extraterrestres reprennent leur véritable apparence dès la tombée de la nuit) jusqu'au jour où, pénétrant sans prévenir dans la chambre de son mari, elle aurait découvert la vérité. Dès lors, ses jours étaient comptés.

Félins extraterrestres

Les témoignages d'apparitions de grands félins dans les landes anglaises ou sur les hautes terres d'Écosse sont devenus presque aussi banals que les scandales politiques, mais qu'en est-il exactement de ces créatures ? De nombreux témoignages font état d'une bête énorme qui se promènerait en toute liberté dans la nature, et dont la silhouette s'apparenterait à un chat gigantesque.

L'une des hypothèses avancées est qu'il s'agit de félins évadés, transportés hors de leur milieu naturel : animaux de cirques, félins rares importés illégalement par des collectionneurs, fauves échappés d'un zoo ou autres spectacles ambulants. Panthères, pumas, lynx, ocelots, tigres, cougars et autres félins de la jungle, livrés à eux-mêmes, se seraient alors assimilés à la faune locale pour se réadapter à un nouvel environnement sauvage.

D'autres pensent plutôt que ces félins qui rôdent dans nos campagnes sont des hybrides, issus d'accouplements entre des chats sauvages ayant élu domicile dans les zones peu peuplées et d'autres animaux. Cela expliquerait la taille et l'allure anormales de ces nouvelles espèces. Ces animaux sont-ils le résultat du processus naturel de l'évolution ? Ou des races exotiques encore inconnues dont il n'existe que quelques individus ne devant leur survie qu'à quelques moutons égarés ?

Les témoignages de personnes racontant avoir vu ces félins sont passés de quelques récits isolés dans les années 50 à un nombre très élevé actuellement, non seulement en Europe mais aussi aux États-Unis et en Australie. La bête de la lande de Bodwin, en Cornouaille anglaise, la panthère des Montagnes bleues et la bête du Gévaudan font désormais partie intégrante de la culture populaire (et ne surprennent plus grand monde). L'augmentation des prétendues rencontres avec ces animaux peut-elle s'expliquer par le durcissement des lois sur la détention d'animaux sauvages ? Il n'est pas difficile d'imaginer comment des propriétaires peu scrupuleux auraient préféré relâcher leur précieuse bête dans la nature plutôt que de payer des taxes...

Enfin, que dire de ces gens qui assurent que ces félins ont la capacité de devenir invisibles, qu'ils sont résistants aux balles, disposent d'une force prodigieuse et peuvent, par-dessus le marché, changer de forme à volonté ? Comment expliquer ces yeux brillant comme des ampoules rouge vif ? Ces félins viennent-ils vraiment d'une autre planète ? Peut-être les extraterrestres sont-ils déjà parmi nous... Peut-être que, tapis dans l'ombre sous la forme de félins géants, ils recueillent patiemment des informations sur notre Terre et ses habitants pour mieux nous attaquer le moment venu...

Fluor

Nous aimerions tous avoir des dents et des os solides, mais à quel prix ? Depuis longtemps, l'ajout de fluor dans les systèmes d'eau potable des pays occidentaux suscite la controverse. Est-on en train de nous tuer à petit feu ? De nombreuses personnes craignent que toute la lumière n'ait pas été faite sur les effets réels du fluor sur notre santé.

À très forte dose, le fluor est fatal ; même si aucune concentration dangereuse n'a encore été relevée dans l'eau potable, certains pensent qu'un complot communiste prévoit d'augmenter cette concentration afin de mettre en danger toutes les populations occidentales.

D'autres accusent l'industrie de l'aluminium d'être responsable de l'augmentation du taux de fluor dans l'eau. Le processus de production de l'aluminium crée en effet des déchets de fluor, qui seraient déversés dans les réseaux de canalisation pour économiser le coût de traitement.

Il a été prouvé que le fluor renforce les os et les dents. Mais ces effets bénéfiques sont de courte durée : après un certain temps, des problèmes génétiques apparaissent. Le fluor peut affaiblir les os jusqu'à provoquer leur dissolution complète. Les partisans de cette théorie soutiennent que, après sept générations, les descendants des populations fluorées pourraient naître dépourvus de squelette.

Alors, sommes-nous tous condamnés ? On peut aussi se demander si les effets nocifs du fluor étaient déjà connus lorsqu'il a été introduit dans nos réseaux de canalisation. S'agit-il d'un complot destiné à réduire la population mondiale ?

Franc-maçonnerie

La franc-maçonnerie, dont la création remonte au seizième siècle, est une célèbre fraternité comprenant, dans le monde, environ cinq millions de membres. Elle se consacre aux œuvres charitables et à la promotion de la droiture morale, et croit en l'existence d'un être suprême. Cependant, certains pensent que le vrai programme des francs-maçons est bien moins innocent qu'ils ne l'affirment…

Les francs-maçons ne seraient que la couverture des Illuminati, un puissant groupe de personnes influentes qui contrôlerait en secret la plupart des aspects du gouvernement et de la société. L'objectif des Illuminati serait de créer un Nouvel Ordre mondial où la planète serait contrôlée par un gouvernement fasciste ayant les pleins pouvoirs.

Selon une autre théorie, les francs-maçons serviraient de couverture non pas au Nouvel Ordre mondial mais à des conspirateurs juifs. Les Grands Maîtres et Officiers de loge seraient en majorité des politiciens et hommes d'affaires juifs utilisant le réseau de la fraternité pour se hisser au sommet de la hiérarchie mondiale. La persécution des francs-maçons par Hitler durant la Seconde Guerre mondiale – il fit interner et exécuter des milliers de prisonniers politiques francs-maçons – suggère qu'il avait découvert un lien entre l'ordre franc-maçonnique et le judaïsme.

Pour d'autres, les francs-maçons sont une secte adoratrice du Diable dont l'objectif principal est d'imposer peu à peu la loi de Satan et de réduire la chrétienté à néant. Le culte que les francs-maçons vouent à un être suprême prouve, pour les partisans de cette hypothèse, que l'organisation est bel et bien une secte dont le but est de voir Lucifer régner sur la planète.

Enfin, les francs-maçons auraient commandité nombre d'événements capitaux depuis leurs cinq siècles d'existence. Ont-ils assassiné le président Kennedy parce que celui-ci refusait de se soumettre à leur influence ? Les similitudes entre les meurtres de Jack l'Éventreur et certains rituels d'initiation maçonnique prouveraient-elles que le célèbre tueur en série de Londres appartenait à l'ordre ? Ont-ils mis en scène la conquête de la Lune lors de la mission Apollo ? Et les attentats du 11-Septembre faisaient-ils partie d'une guerre religieuse entre les francs-maçons et l'Islam ?

Géoglyphes de Nazca

Les géoglyphes de Nazca fascinent les voyageurs depuis des siècles. Ces géoglyphes sont apparus dans le désert de Nazca sur un plateau des Andes péruviennes, à 400 km de Lima. Les milliers de lignes tracées sur le sol forment des dessins représentant des oiseaux, araignées, lézards, singes, poissons, ainsi que d'autres animaux non identifiés et des motifs géométriques simples composés de lignes et de formes diverses. Beaucoup de ces dessins sont indiscernables au sol, et ne peuvent être appréciés que vus du ciel. L'ancienne civilisation des Nazcas ne disposait d'aucun moyen de voler, ce qui pose le question de savoir pourquoi ces dessins ont été créés. La datation au carbone a permis de déterminer qu'ils étaient vieux d'environ 1 500 ans.

Cela fait des années que les chercheurs s'évertuent à décrypter le mystère des géoglyphes. Beaucoup d'entre eux ont cherché à établir un lien avec l'espace. Paul Kosok, un chercheur américain, a tenté de découvrir si les dessins avaient un rapport avec l'astronomie en tentant de déterminer si ceux-ci pouvaient s'aligner avec les étoiles. Les dessins seraient en fait destinés aux dieux, peut-être en hommage au monde naturel ou bien pour demander que les récoltes soient bonnes.

Cela dit, certains pensent que les géoglyphes ne sont pas l'œuvre des Nazcas, mais d'extraterrestres qui auraient visité notre Terre. Dans un livre intitulé *Présence des extraterrestres*, publié en 1968, l'écrivain Erich von Daniken avance l'idée que ces géoglyphes sont une piste d'atterrissage pour les vaisseaux extraterrestres. Selon lui, c'est aussi aux extraterrestres qu'on devrait d'autres merveilles du monde telles que la grande pyramide de Gizeh. Un autre ouvrage, *Le Matin des magiciens* de Louis Pauwels et Jacques Bergier, soutient que les géoglyphes sont la preuve que des extraterrestres sont venus sur la Terre il y a plusieurs milliers d'années, à l'époque de la préhistoire. En nous donnant les clés de la technologie et du savoir, ces espèces supérieures nous auraient aidés à nous élever de notre condition primaire pour devenir l'espèce dominante de la planète.

D'autres pensent que la visite des extraterrestres est plus récente, et que ces marques auraient été laissées à la surface de la Terre lors d'une réunion secrète avec les dirigeants mondiaux. La zone déserte où ont été découverts les géoglyphes aurait servi de base d'atterrissage à un énorme vaisseau extraterrestre dont les occupants auraient rencontré en secret les dirigeants politiques avant de repartir du même endroit. Les gouvernements impliqués ont justifié l'existence des mystérieuses marques retrouvées sur le sol afin de dissimuler leur véritable nature. Le fait que les marquages au sol n'aient jamais été recouverts s'explique par le fait que les extraterrestres sont revenus régulièrement sur la Terre : les géoglyphes sont en fait des traces fraîches d'atterrissages récents.

Une autre théorie accrédite l'idée d'une technologie supérieure, mais celle-ci aurait bien été développée par l'ancien peuple Nazca et non par des extraterrestres. Quelle que soit la nature de la technologie ayant permis de créer ces marques, celle-ci aurait été détruite par d'autres peuples jaloux de la supériorité des Nazcas, et effrayés qu'elle ne soit utilisée contre eux. Bien que cette hypothèse ne soit étayée par aucune preuve tangible, les géoglyphes sont un tel mystère que cette explication n'est pas impossible.

Et ces marques étranges ne sont pas isolées – loin de là. Plus au sud, gravée sur le flanc de la montagne Solitaire, on trouve la plus grande représentation d'une figure humaine dans le monde, le Géant d'Atacama. De nombreux autres endroits en Amérique du Sud montrent des représentations d'oiseaux en vol, de spirales et de bêtes dépeintes comme des guerriers d'antan. Mais, comme les interprétations sont aussi nombreuses que les géoglyphes eux-mêmes, il y a fort à parier que le mystère durera encore pendant quelques siècles.

La Grande Prostituée

La légende de la Grande Prostituée de Babylone aurait-elle été montée de toutes pièces pour attirer le commerce dans la ville ?

L'ancienne Mésopotamie, berceau de notre civilisation moderne, a vu naître plusieurs villes qui devaient jouer un rôle capital dans la culture occidentale. L'une d'elles était Babylone. Cette ville qui ne fut au départ qu'un village menacé par de constantes invasions atteignit son pic économique et culturel sous le règne de Nabuchodonosor, le fameux conquérant du royaume de Juda.

Mais cet essor ne serait pas dû au hasard : les dirigeants de la ville auraient en effet imaginé un plan infaillible pour ériger Babylone au sommet du pouvoir. Partant de l'idée que le sexe attirerait plus facilement – et pour plus longtemps – l'afflux du commerce que la politique ou la religion, ils inventèrent la légende de la Grande Prostituée de Babylone, un personnage mythique qui devint bientôt le symbole de la prostitution encouragée par la royauté.

Les rois de Babylone et leurs associés auraient encouragé la prolifération de légendes évoquant un déploiement de débauche et d'orgies gigantesques. Babylone fut bientôt réputée pour être la cité du plaisir, et on vit accourir des hordes entières d'hommes venus des quatre coins du pays. Le tourisme et le commerce augmentèrent, et l'argent accumulé permit à la ville de s'étendre et de prospérer. Au quatrième siècle avant Jésus-Christ, Alexandre le Grand, charmé par les tentations de la ville, fit camper son armée derrière les murs de Babylone durant tout l'hiver. Ce n'est qu'à partir des premiers siècles après Jésus-Christ que l'idée de la Grande Prostituée de Babylone commença à être considérée comme immorale, et le scandale éclipsa bientôt la prospérité de la ville.

Grippe porcine

C'est en avril 2009 au Mexique que la souche de grippe H1N1 – plus connue sous le nom de grippe porcine – apparut pour la première fois. Le virus dépassa bientôt les frontières du pays pour gagner l'ensemble de la planète, faisant des milliers de victimes. L'Organisation mondiale de la Santé déclara atteint le seuil pandémique. Mais est-on certain que la maladie est bien apparue d'une façon spontanée ?

Il est possible que le virus, qui est composé d'un improbable croisement génétique entre la grippe aviaire, la grippe porcine et la grippe humaine, ait été manufacturé par un cartel de l'industrie pharmaceutique sous couvert de recherches. Menacé par la concurrence de plus en plus pressante des réseaux de recherche et des médicaments génériques, le groupe aurait décidé de fabriquer la souche H1N1 afin de redynamiser ses profits.

Les laboratoires GlaxoSmithKline, Roche et Baxter sont soupçonnés d'être les groupes fondateurs de cette sinistre alliance ; ils furent les premiers à vendre des vaccins contre la maladie. Il faut dire que les retombées financières étaient potentiellement énormes : GlaxoSmithKline pouvait ainsi espérer engranger des milliards de dollars grâce aux ventes des doses du vaccin. La grippe porcine : une véritable aubaine pour les laboratoires pharmaceutiques.

Autre théorie proposée, l'épidémie aurait été une attaque bioterroriste d'échelle mondiale perpétrée par Al-Qaïda. Le groupe mené par Oussama ben Laden aurait choisi de commencer par contaminer le Mexique parce que le pays était plus facile d'accès que d'autres pays plus riches aux contrôles douaniers stricts. Surtout, le Mexique partage une frontière commune avec les États-Unis, et les émigrants mexicains, légaux ou illégaux, affluent chaque jour aux États-Unis. Contaminer le Mexique était une façon idéale d'atteindre bientôt les États-Unis où les « infidèles » seraient décimés par le virus.

Une théorie alternative accuse cette fois l'ancien président George W. Bush et des industrialistes proches du pouvoir. Le groupe, frustré d'avoir vu son pouvoir se diminuer radicalement, aurait imaginé de lancer l'épidémie. Privé de nouvelles guerres et de l'emprise conservatrice qu'il avait eue sur ses citoyens, Bush, pour qui l'élection d'Obama aurait été le coup de grâce, aurait perdu l'esprit et se serait vengé en lançant l'épidémie sur le Mexique.

À moins que le coupable ne soit PETA, la célèbre association de défense des droits des animaux ? Un groupe de militants extrémistes aurait-il propagé le virus en une tentative désespérée d'épargner des vies animales ? Les épidémies de vache folle, de grippe aviaire et de grippe porcine ont effectivement dû en convaincre plus d'un des bienfaits du végétarisme...

Guy Fawkes et la Conspiration des poudres

Le 5 novembre 1605, on découvrit 36 barils de poudre sous les caves des Chambres du Parlement à Londres. Les conspirateurs prévoyaient de faire tomber le gouvernement anglais et le roi James Ier. Bien que l'idée fût à l'origine de Robert Catesby, c'est Guy Fawkes qui fut désigné comme le cerveau de l'opération, sans doute pour protester contre la persécution religieuse des catholiques en Irlande. Il existe de multiples hypothèses sur les motifs exacts de l'opération, mais la majorité des historiens pensent que les conspirateurs prévoyaient d'assassiner le roi, de soulever une rébellion populaire et de rendre le trône aux catholiques.

On ne sait pas exactement comment le complot a été découvert, et plusieurs théories tentent d'expliquer comment celui-ci a pu être déjoué. La version la plus connue est que Lord Monteagle, un catholique, reçut une lettre l'informant du complot et lui conseillant de ne pas assister à la cérémonie d'ouverture du Parlement. On pense que l'auteur de la lettre était Francis Tresham, le beau-frère de Monteagle, qui avait été invité à rejoindre les « terroristes » et avait refusé. Lorsqu'il reçut ladite lettre, Monteagle en informa aussitôt Robert Cecil, duc de Salisbury. Le 5 novembre, aux premières heures, une équipe fut envoyée en éclairage dans les caves du Parlement, où ils découvrirent Fawkes et ses réserves de poudre.

Une hypothèse alternative suggère que Salisbury avait eu vent du complot avant même de recevoir l'avertissement – la « lettre de Monteagle » aurait été fabriquée par le gouvernement afin de faire accuser Fawkes et ses complices. Après avoir découvert le pot aux roses, les dirigeants du gouvernement auraient volontairement attendu avant d'intervenir pour pouvoir prendre le groupe sur le fait.

Il a aussi été avancé que Salisbury espérait que le roi durcisse ses mesures contre les catholiques ; en laissant la voie libre au complot pour le déjouer au dernier moment, il était sûr que ceux-ci seraient perçus comme des traîtres. Il est possible qu'il se soit servi de cet épisode pour se poser en héros auprès du roi et obtenir ses faveurs. Certains vont même jusqu'à affirmer que Salisbury aurait organisé la machination de A à Z, ce qui lui aurait permis de s'attribuer le meilleur rôle en « révélant » le complot.

L'élément le plus à charge est sûrement la quantité de poudre découverte : à l'époque, tous les stocks étaient contrôlés par le gouvernement et il aurait été difficile pour les conspirateurs de s'en procurer autant. Salisbury, en revanche, aurait facilement pu mettre la main sur des stocks de poudre avant de les remettre à Fawkes et ses complices.

La question se pose aussi de savoir pourquoi les caves des Chambres du Parlement, qui jusque-là n'avaient jamais été fouillées par les soldats, firent soudain l'objet d'une telle attention de la part des gardes de Salisbury et des hommes du roi. Pourquoi auraient-ils fouillé les caves si Salisbury n'était pas au courant du complot ?

La troisième pièce du puzzle concerne Tresham, qui fut retrouvé mort empoisonné dans sa cellule de prison. A-t-on voulu le réduire au silence ? Si oui, Salisbury est-il responsable ? On ne connaîtra sans doute jamais l'entière vérité sur l'affaire.

Une seule chose est certaine : Fawkes et ses complices furent exécutés publiquement le 31 janvier 1606 à Westminster, à l'extérieur du bâtiment même qu'ils comptaient faire exploser.

HAARP

Le HAARP, programme américain de recherche sur l'ionosphère (*High Frequency Active Auroral Research Program*), est-il une arme secrète du projet « Guerre des étoiles » employée par le gouvernement américain pour influencer les affaires intérieures et étrangères ?

Officiellement, le projet du HAARP est d'étudier les applications de l'ionosphère, c'est-à-dire l'atmosphère supérieure de la planète en tant qu'outil de communication et de surveillance par ondes radio. Il est co-financé par l'US Air Force, la marine américaine, la DARPA (agence pour la recherche avancée sur la défense) et l'université d'Alaska.

Localisé dans une zone reculée de l'Alaska, le site du HAARP – pour le moins inhospitalier – est facilement localisable par les cercles de méga-antennes pointées vers l'espace. Mais les applications du programme sont-elles si innocentes qu'on voudrait nous le faire croire ?

Une théorie consiste à penser que les recherches en surveillance et en communication menées au HAARP ne représentent qu'une part mineure des activités du site, et que le but principal du projet est la création et le développement d'un système d'arme de modification climatique. Selon les partisans de cette théorie, le gouvernement américain utilise le HAARP pour déstabiliser ses ennemis et contrôler un maximum de réserves de pétrole mondial.

Le HAARP aurait également mis au point une technologie à même de provoquer d'énormes tremblements de terre – et cette arme aurait été utilisée pour déclencher le tsunami de 2004. La catastrophe « naturelle » aurait été provoquée pour permettre aux États-Unis de mettre la main sur les réserves de pétrole de la province d'Aceh, en Indonésie. La rumeur dit que, immédiatement après l'arrivée du tsunami sur les côtes, une force de 2000 Marines américains aurait débarqué dans la province. Était-ce pour faciliter l'autonomie d'Aceh afin de négocier un accord de marché lucratif sur le pétrole entre Aceh et les États-Unis ?

Certains croient que le HAARP est aussi responsable du tremblement de terre qui a frappé le Sichuan, en Chine, en mai 2008. S'agissait-il d'une tentative pour déstabiliser l'économie galopante de la Chine ? Les bâtiments d'affaires du quartier financier de Shanghai furent évacués, ainsi qu'un certain nombre de bureaux de Pékin destinés à l'organisation des jeux Olympiques de 2008. Plusieurs infrastructures vitales, tels des aéroports ou des chemins de fer, furent endommagées ou rendues inutilisables.

Certains penchent plutôt pour la théorie selon laquelle le gouvernement américain utiliserait le HAARP pour manipuler la politique intérieure : le programme aurait par exemple été employé pour accélérer les sécheresses responsables de dégâts dans les cultures de céréales et même pour faire tomber la navette Columbia en 2003 afin de freiner un programme spatial devenu trop coûteux.

Qui sait, le HAARP est peut-être un outil de contrôle mental conçu pour manipuler les électeurs en faveur du gouvernement. À moins qu'il ne s'agisse d'une source d'énergie bon marché destinée aux grandes entreprises pétrolières du pays ?

Harold Wilson

Harold Wilson fut l'un des plus éminents Premiers ministres anglais de la seconde moitié du vingtième siècle. Il servit deux mandats – de 1964 à 1970 puis de 1974 à 1976. Mais jouait-il le double rôle d'un agent soviétique ?

L'idée que Wilson était peut-être un agent double fut avancée pour la première foi durant une réunion de débriefing par le déserteur soviétique Anatoli Golitsyne. Selon ses dires, le politicien du Parti travailliste était un agent du KGB, dont l'ascension à la tête du Parti puis de l'Angleterre avait été permise grâce à l'assassinat par les Soviétiques de l'ancien leader du Parti et partisan des États-Unis, Hugh Gaitskell, en 1963.

La mort prématurée de Gaitskell laissait alors la voie libre à Wilson pour remporter sans surprise les élections de 1964 face à un gouvernement conservateur déjà mis à mal. Le fait que le KGB soit déjà fortement soupçonné d'avoir perpétré l'assassinat du président américain John F. Kennedy la même année a contribué à convaincre certains que l'organisation avait le pouvoir d'éliminer les grandes personnalités de l'époque.

Peter Wright, ex-officier des services secrets, se rallia à la thèse de Golitsyne en publiant en 1987 un livre de révélations sensationnalistes intitulé *Spycatcher* (« chasseur d'espions »). Wright y révélait nombre d'activités clandestines du M15 datant de l'époque où il travaillait pour le GCHQ (le service de renseignements électroniques), et le livre fit scandale au Royaume-Uni. L. Ron Hubbard, fondateur de la très controversée Église de scientologie, accusa lui aussi Wilson d'avoir travaillé pour le compte des Soviétiques.

Le M15 ne fit que peu d'effort pour discréditer les rumeurs courant sur le compte de Wilson. Il serait même responsable d'avoir aidé à les propager dans certains milieux. Il était de notoriété publique que le M15 désapprouvait la socialisation croissante du Royaume-Uni. Aux yeux des dirigeants de droite du M15, Wilson incarnait-il la menace d'une dérive vers le communisme ?

Les plans supposés du M15 pour renverser Wilson et le gouvernement travailliste – d'abord en 1968 puis en 1974 – ne font que renforcer l'idée que l'organisation ne portait pas Wilson dans son cœur…

L'objectif de ces prétendus coups d'État aurait été de rendre le contrôle du pays aux conservateurs. En cas de réussite, Lord Mountbatten, oncle du prince Philip et amiral de la flotte anglaise, aurait été promu ministre provisoire. Visiblement, le plan n'a jamais été mis en action.

Hatchepsout

Le temple de la reine-pharaon Hatchepsout Deir el-Bahari, situé en face de Thèbes de l'autre côté du Nil et daté du quatorzième siècle avant Jésus-Christ, atteste du rayonnement de cette souveraine qui régna plus longtemps sur l'Égypte qu'aucune autre femme.

Fille du respecté pharaon Thoutmôsis Ier, née en 1503 av. J.-C., Hatchepsout avait deux frères et un demi-frère, Thoutmôsis II, qui était aussi son mari. À la mort de ses frères, il ne resta plus que deux prétendants au trône : Hatchepsout et son jeune neveu Thoutmôsis III, né de l'union de son mari avec sa seconde femme, Isis.

Son neveu étant trop jeune pour régner, Hatchepsout accéda au pouvoir en tant que reine douairière. Lorsque Thoutmôsis II fut assez grand pour gouverner, elle refusa de céder sa place et endossa le titre de roi… ainsi que les habits et la barbe de circonstance ! Ce stratagème lui permit de rester au pouvoir pendant 15 à 20 ans.

Après la mort d'Hatchepsout, sa tombe fut profanée. La momie fut dérobée et on ne retrouva qu'un vase canope contenant son foie. Le sarcophage en pierreries de Senmout, son conseiller, architecte et amant, fut retrouvé en plus de 1 200 morceaux. Tous les cartouches portant son nom furent effacés et remplacés par celui de Thoutmôsis. La substitution fut facilitée par le fait que, sur toutes les images la représentant, Hatchepsout portait la barbe. Ces actes de vandalisme auraient été perpétrés par son neveu, jaloux et frustré de s'être vu ravir le pouvoir. Il aurait alors tenté d'effacer à jamais Hatchepsout de l'Histoire – mais c'était sans compter sur les historiens qui, plus tard, reconstituèrent l'histoire de son règne en se fondant sur des documents désormais disparus.

Thoutmôsis III aurait lui-même assassiné Hatchepsout en l'empoisonnant pour laisser le trône libre. Vu l'acharnement avec lequel il a tenté d'effacer toute trace de l'existence même de sa tante, il ne serait pas étonnant que sa soif de pouvoir et de gloire l'ait conduit jusqu'au meurtre.

Durant des siècles, les historiens tentèrent en vain de comprendre pourquoi les Thoutmôsis ne s'étaient pas succédé au trône dans l'ordre. Grâce à ces théories éclairantes, le voile du mystère est désormais levé.

Hélicoptères noirs

7 mai 1994 : aux États-Unis, un adolescent est poursuivi pendant trois quarts d'heure par un hélicoptère noir près de Harahan, en Louisiane. L'appareil est banalisé, sans plaque d'immatriculation ni inscription quelconque. Comme si l'aspect de l'hélicoptère n'était pas assez intimidant en lui-même, les occupants de l'appareil visent en plus l'adolescent avec des armes à feu depuis l'échelle de l'hélicoptère. L'adolescent dit n'avoir pas compris pourquoi il avait été pris pour cible. Quant au chef de la police locale, il s'est contenté d'insinuer que les hélicoptères appartenaient au gouvernement américain et que l'affaire n'était pas de son ressort.

Une semaine plus tard, un incident similaire se produisit près de Washington DC. La voiture d'un groupe de vacanciers fut prise en chasse par un hélicoptère noir sur plusieurs kilomètres. Le conducteur tenta bien de semer les poursuivants, mais lorsqu'il fit mine de sortir de la route, des hommes en uniforme noir armés commencèrent à descendre au moyen d'une échelle. Le malheureux n'eut d'autre choix que de se plier à leur volonté. Finalement, la circulation étant trop dense, l'appareil fut forcé de battre en retraite. « J'ai eu beaucoup de chance, affirme le conducteur de la voiture. Si la route avait été déserte, qui sait jusqu'où ces hommes auraient pu aller ? »

En 1995, un hélicoptère noir fut aperçu dispersant une substance inconnue alors qu'il survolait une ferme dans le Nevada. Une douzaine d'animaux périrent brutalement et la végétation alentour fut brûlée. Les autorités officielles nièrent connaître quoi que ce soit de l'appareil. Pourquoi alors recense-t-on autant de cas d'habitations urbaines et rurales aspergées de produits chimiques inconnus ? Pourquoi ces attaques sans raison apparente perpétrées contre des personnes et des animaux innocents ?

Les témoignages visuels abondent sur ces mystérieux hélicoptères noirs. Ils semblent également être liés à un certain nombre de cas répertoriés de mutilation de bétail, et ont été aperçus à proximité immédiate du crime avant, pendant ou juste après l'incident. Plus alarmant encore, les occupants des hélicoptères sont ouvertement hostiles et semblent volontiers prêts à faire usage du feu et de la force pour arriver à leurs fins. Leur identité n'a jamais été dévoilée.

En mars 1999, plusieurs témoins rapportèrent avoir vu de mystérieux hélicoptères noirs survoler la zone de Pittsburgh, en Pennsylvanie, avec une forte concentration en l'espace d'une demi-heure seulement. L'un des appareils s'attarda au-dessus de la même rue résidentielle pendant environ cinq minutes avant de s'éloigner. Il fut observé à nouveau opérant le même manège chaque jour durant les trois semaines qui suivirent. Personne ne sait quelles étaient ses intentions.

Des hélicoptères noirs banalisés ont été photographiés en train d'accomplir d'étranges manœuvres au-dessus de zones résidentielles – or, si un hélicoptère effectue un exercice d'entraînement, le vol s'effectuera dans une zone militaire. Ces appareils sont-ils liés aux mystérieux « hommes en noir » qui ont abordé les témoins ayant osé prendre des photographies ? Ces derniers racontent avoir été menacés par des hommes en uniformes noirs leur ordonnant de quitter la région et de ne rien raconter de ce qu'ils avaient vu. Leurs appareils photo et caméras ont été confisqués.

Nous ne saurons peut-être jamais si ces mystérieux hélicoptères et leurs occupants sont d'origine extraterrestre ou s'ils appartiennent à une branche secrète du gouvernement. Dans tous les cas, il semblerait que le respect des droits civils et des principes démocratiques soit le dernier de leurs soucis…

Les hommes en noir

On ne présente plus les inquiétants « men in black » américains. Ces hommes vêtus de noir, le plus souvent associés aux observations d'ovnis, semblent avoir pris l'habitude d'apparaître après chaque rencontre extraterrestre pour terroriser les malheureux témoins. Les hommes en noir se distinguent par leur caractéristique complet noir et se déplacent généralement par deux dans des voitures noires, même si on les a déjà vus utiliser les fameux « hélicoptères noirs ». Les témoins les décrivent comme étant anormalement grands et d'apparence atypique. Certains n'ont pas d'ongles aux mains. Ils parlent avec un accent étrange, et semblent pouvoir communiquer sans remuer les lèvres.

Dans son livre *Men in Black : mythe et réalité* (*Men in Black: Investigating the Truth Behind the Phenomenon*), la spécialiste des ovnis Jenny Randles recense de nombreux témoignages sur les hommes en noir. Le cas de Shirley Greenfield, qui reçut leur visite après avoir été enlevée par des extraterrestres, y est notamment décrit en détail. Randles rapporte que, neuf jours après que Shirley eut été enlevée, deux hommes se présentèrent à sa porte en exigeant de lui parler. Ils menacèrent de revenir plus tard si elle refusait de les laisser entrer. Shirley et son mari dirent s'être sentis comme subjugués et incapables de refuser. Le comportement de ces hommes était pour le moins étrange.

Ils s'appelaient invariablement « Commandant » entre eux et refusèrent de dire d'où ils venaient, admettant seulement ne pas être journalistes. Il semble qu'ils aient enregistré l'intégralité de la conversation au moyen d'une sorte de boîte carrée complètement opaque, sans micro et sans avoir besoin de changer la cassette. Shirley aurait été interrogée sans relâche et d'une façon agressive à propos de son enlèvement. Avant de partir, les hommes en noir lui interdirent de confier ce qu'elle savait à qui que ce soit. Shirley, sentant qu'elle n'avait pas le choix, leur raconta l'événement en détail, omettant seulement de préciser que, suite à son enlèvement, des marques étaient apparues sur ses avant-bras. Cependant, durant la semaine qui suivit la visite des hommes en noir, Shirley fut harcelée par des coups de fil du « Commandant » lui demandant si elle avait gardé des séquelles physiques de l'événement. Lorsque Shirley finit par avouer que oui, celui-ci sembla soulagé et les coups de fil cessèrent.

Alors, qui sont les hommes en noir ? Font-ils partie d'un complot gouvernemental visant à réduire au silence les victimes d'activité extraterrestre ? Le gouvernement en sait-il plus à ce sujet qu'il ne veut bien l'admettre ? Aurait-il établi un marché avec eux, leur permettant d'enlever des humains en échange de connaissances technologiques futuristes ? Ou bien les hommes en noir font-ils partie d'une puissance indépendante dont nous ne connaissons encore rien ? Quelle que soit la réponse, ils semblent déterminés à garder leur identité secrète. Ce qui n'augure rien de bon quant à leurs intentions réelles…

Les Illuminati et le Nouvel Ordre mondial

Pour certains, cela ne fait aucun doute : un groupe de puissants individus manipule depuis des siècles le cours des événements dans le monde entier. Un gigantesque complot est à l'œuvre pour prendre le contrôle du monde et établir un Nouvel Ordre mondial.

Cette cabale aurait été formée à l'origine par 13 familles toutes génétiquement liées – les Illuminati – dont la lignée a désormais infiltré chaque branche du pouvoir. Milliardaires, politiciens éminents, élites économiques et aristocrates puissants en feraient tous partie – y compris la famille royale d'Angleterre.

Leur but : la création d'un État féodal similaire à ceux du Moyen Âge, où la classe moyenne n'existait pas et qui reposait sur un système de hiérarchie entre maîtres et serviteurs. Ce Nouvel Ordre mondial, ou Gouvernement unique, abolirait l'ensemble des frontières nationales et régionales et serait régi par un système monétaire unique. Il serait contrôlé par une force gouvernementale unique et une armée unifiée. Les sujets rebelles seraient persécutés jusqu'à ce qu'il ne reste plus que les fidèles du système totalitaire.

Le second objectif de cet état fasciste est de réduire massivement la population mondiale pour la faire passer à un milliard de personnes seulement. L'importance actuelle de la population de la Terre est telle qu'elle menace les ressources naturelles et même la survie à long terme de notre espèce. Inutile de préciser qu'une population trop importante serait aussi plus difficile à gérer et à surveiller qu'un nombre plus réduit de personnes.

Ce Nouvel Ordre mondial serait à l'origine de la plupart des événements de notre Histoire récente. Ils sont responsables de milliers de victimes et contrôlent le pouvoir des autres groupes. C'est cette même main invisible qui aurait déclenché les deux guerres mondiales du vingtième siècle, la Grande Dépression américaine des années 1930, la guerre de Corée et du Vietnam, la chute de l'Empire soviétique, les deux guerres du Golfe, la guerre des Balkans, les innombrables conflits en Afrique et au Moyen-Orient, les épidémies de SRAS et de H1N1, le tsunami de 2004 et la crise économique mondiale actuelle.

Selon certains, cette gigantesque manipulation remonte à l'époque des croisades, lesquelles auraient été provoquées par un clan d'Illuminati connu sous le nom de Templiers, une secte militaire du prieuré de Sion. Les croisades auraient été la première tentative des Illuminati de purger la planète.

Les partisans de cette théorie affirment que, aujourd'hui, la plupart des dirigeants de nos pays industrialisés sont soit membres du groupe soit de connivence avec lui – de même que les plus grands capitaines d'industrie des secteurs les plus influents : pétrole, banques et industrie pharmaceutique. Quant à ceux qui ont refusé de se soumettre au Nouvel Ordre mondial, ils ont été éliminés. On peut citer John F. Kennedy et son frère, qui représentaient une menace pour le noyau dur de l'Ordre. Au Moyen-Orient, la famille Bhutto a été prise pour cible en raison des efforts d'Ali et, plus récemment, de Benazir pour faire du Pakistan un pays plus stable. L'assassinat d'autres personnalités ayant œuvré pour la paix dans le monde, ou pour défendre des idéaux contraires à ceux des Illuminati, a aussi été attribué au groupe – dont, par exemple, celui de John Lennon.

Mais, si tout cela est vrai, comment expliquer que les Illuminati aient réussi à garder leur présence et leurs activités quasiment inconnues du reste du monde ? Pourquoi personne ne s'est-il élevé contre leurs révoltants objectifs ? Une théorie répandue prétend que le groupe utilise des programmes de contrôle mental – dont le projet de manipulation mentale de la CIA, MK-Ultra – pour empêcher une radicalisation de masse. Serions-nous déjà encerclés par les Illuminati ?

Implants biométriques, l'empreinte de la Bête ?

Lorsque le paiement à puce et à code fut introduit pour la première fois dans nos sociétés, plusieurs individus s'élevèrent contre ce qu'ils considéraient comme le signe d'une apocalypse imminente.

En acceptant cette technologie, la société se rapprochait un peu plus d'un monde qui n'appartenait jusque-là qu'aux fictions hollywoodiennes futuristes. Plus besoin de s'encombrer de codes, carnets de chèques ou passeports : toutes les informations nous concernant seraient contenues dans une puce de la taille d'un grain de riz implantée dans notre main droite. Ces informations pourraient être lues à distance, y compris à travers les murs, et suivies à la trace. Cet implant biométrique, qui permettrait de localiser une personne durant toute sa vie, a été le grand vainqueur de l'Exposition internationale des inventeurs en 2003. Les bénéfices que nous pourrions tirer d'une telle innovation sont évidents, mais est-on prêt à accepter une telle invasion dans notre vie privée ?

Pour certains groupes religieux, ce n'est pas de la perte de notre vie privée qu'il faut nous méfier, mais de Satan lui-même : à l'appui de leur théorie, un passage de la Bible prévenant que si la société s'engage sur cette voie, elle réalisera une funeste prophétie :

Et elle fit que tous, petits et grands, riches et pauvres, libres et esclaves, reçussent une marque sur leur main droite ou sur leur front, et que personne ne put acheter ni vendre, sans avoir la marque, le nom de la bête, ou le nombre de son nom. C'est ici la sagesse. Que celui qui a de l'intelligence calcule le nombre de la bête. Car c'est un nombre d'homme, et son nombre est six cent soixante-six. (Apocalypse 13:16-18)

Selon Tim Willard, directeur général du magazine américain *Futuristes*, toute personne disposera bientôt d'un numéro de sécurité social comprenant « un nouveau numéro international de 18 chiffres sous forme de blocs aléatoires qui permettra à tout instant de connaître notre situation géographique ». Willard prédit que ce numéro sera présenté en trois séries de six – 6-6-6.

La théorie va plus loin en prédisant que cette étape marquera l'avènement d'un gouvernement unique divisé en dix nations. L'une d'elles, la nation européenne, a commencé à être mise en place. Ne possède-t-elle pas déjà une monnaie unique ? Les partisans de cette hypothèse pensent que ceux qui rejetteront cette « marque » se verront exclus de la société à venir.

Une prévision plus inquiétante encore prévoit que l'implant sera imposé à tous sans possibilité de choisir. Le programme d'identification obligatoire serait même déjà en place : le gouvernement profiterait d'interventions médicales bénignes ou de contrôle pour implanter dès à présent des puces dans les patients. Ce type de puces est déjà à l'étude pour permettre de localiser les personnes vulnérables, notamment les autistes et les personnes atteintes d'Alzheimer. De là à ce que les implants se généralisent à l'échelle mondiale, il n'y a qu'un pas… Scientifiques et entreprises défendent la technologie des implants en affirmant que ses quelques inconvénients ne sont rien face aux multiples avantages qu'ils présentent. Mais si, en acceptant de porter cette puce, on se rapprochait un peu plus du jour du Jugement dernier ?

Jésus et Marie-Madeleine

Jésus n'était-il qu'un simple mortel dont la descendance aurait survécu jusqu'à nos jours ? Les forces ecclésiastiques étouffent-elles la vérité depuis des millénaires pour protéger le pouvoir de l'Église et de la chrétienté ?

En fait d'être un être supérieur qui aurait ressuscité après sa crucifixion, Jésus aurait été un homme comme les autres, marié à Marie-Madeleine dont il aurait eu un ou plusieurs enfants – et dont les descendants seraient aujourd'hui bien vivants. Certains soutiennent que le Saint Graal n'est pas, comme on le croit souvent, la quête du calice contenant le sang du Christ : Jésus vénérait en fait Marie-Madeleine et la féminité – et c'est ce qui aurait permis à ses croyances chrétiennes de se transmettre à travers les âges.

Si l'on en croit cette hypothèse, le mythe de Jésus-Christ aurait été jalousement préservé de siècle en siècle grâce à une société très ancienne, le Prieuré de Sion. Le groupe aurait compté parmi ses membres des personnages aussi illustres que Léonard de Vinci et Isaac Newton, qui furent chacun nommés Grand Maître du clan. Tous les membres du clan sont dévoués à la protection du secret, et s'engagent à le défendre contre les ennemis de l'Église chrétienne et, en particulier, du catholicisme.

Les fidèles du Prieuré de Sion auraient dissimulé des preuves attestant du mariage entre Jésus et Marie-Madeleine et du ou des enfants nés de leur union, notamment en camouflant des indices sur leur descendance cachés dans certaines œuvres d'art, dont la plus célèbres est *La Cène* de De Vinci. Selon certains, ce n'est pas l'apôtre Jean qui est représenté à droite de Jésus sur la célèbre fresque, mais Marie. Le « V » formé entre les deux hommes serait en fait un symbole de féminité.

On suppose que, à l'origine, l'Église a voulu cacher les liens intimes entre Jésus et Marie-Madeleine afin que son enseignement sur le célibat ne soit pas compromis et afin d'éviter que le pouvoir misogyne de ses apôtres proches – notamment celui de l'influent Pierre – ne soit pas menacé par des femmes. Pour faire taire toute rumeur sur la relation amoureuse de Jésus et sa procréation – et ainsi maintenir le contrôle de l'Église –, Marie-Madeleine fut décrite dans le Nouveau Testament comme une prostituée. Les Évangiles évoquant son véritable statut furent censurés.

Depuis cette époque, l'Église n'a eu de cesse de renier ces allégations et de détruire les preuves qui pourraient révéler l'existence d'une descendance, donnant ainsi raison aux rumeurs. S'il était prouvé que Jésus n'appartenait pas à une Trinité divine, nul doute que l'Église serait montrée du doigt comme une gigantesque fraude. Et si le fameux *Da Vinci Code* de Dan Brown était plus qu'une simple fiction ?

John F. Kennedy

Qui a assassiné le président John F. Kennedy ? Et pourquoi ? Quarante ans après le coup de feu fatal, le débat continue de faire rage…

Lee Harvey Oswald

L'enquête de la commission Warren, qui s'étendit sur dix mois, conclut que le président avait été abattu par Lee Harvey Oswald, qui fut lui-même assassiné avant d'avoir pu être traduit en justice. Mais les amateurs de théories du complot restent convaincus que Lee Harvey Oswald a en fait été utilisé comme bouc émissaire puis éliminé pour l'empêcher de révéler la vérité. Cependant, un certain nombre de preuves tendent à démontrer qu'Oswald a agi seul et non au sein d'un complot.

En tout cas, si complot il y a eu, on peut dire qu'il aurait nécessité une préparation étonnamment complexe : comment expliquer, par exemple, qu'on ait pu produire autant de preuves à charge en si peu de temps ? Après l'annonce du circuit que devait parcourir le cortège présidentiel, les conspirateurs n'auraient disposé que de peu de temps pour mettre en place un plan d'exécution, c'est-à-dire trouver un tueur à gages, mettre au point les détails du plan et forger des preuves stratégiques – le tout, bien sûr, sans éveiller les soupçons.

Oswald a aussi fait montre d'un comportement pour le moins suspect durant la semaine précédant le meurtre. S'il avait effectivement eu des complices, pourquoi aurait-il fait le trajet en pleine semaine jusqu'à l'endroit où l'arme à feu était stockée, le jour même où il apprit que le cortège passerait devant son lieu de travail ? Pourquoi aurait-il omis de porter son alliance le jour même de l'assassinat du président ? Et pourquoi aurait-il quitté son travail plus tôt ce jour-là pour passer plus de temps dans les rues de Dallas ? Pourquoi aurait-il abattu l'officier de police qui souhaitait l'interroger ? Si Oswald n'a pas agi seul, il a cependant tout fait pour se faire repérer.

S'il y a bien eu complot, il semblerait que celui-ci ait été quelque peu bâclé. Tout d'abord, il paraît étonnant de choisir d'assassiner le président en pleine rue au vu de tous les citoyens. Si la CIA ou le FBI étaient à l'origine du meurtre, nul doute qu'ils auraient trouvé un moyen plus sophistiqué. Surtout, pourquoi choisir Oswald ? La CIA, le FBI, la mafia ou n'importe quel complexe militaro-industriel n'aurait eu que l'embarras du choix pour trouver un tireur d'élite. Il paraît aberrant qu'un complot d'une telle ampleur repose sur un assassin aussi amateur que Lee Harvey Oswald. Certains répondront qu'il s'agit justement d'une ruse pour écarter les soupçons…

Après avoir examiné de près témoignages, archives filmiques et photos, puis s'être penchée sur le rapport d'autopsie et sur des documents hautement secrets auxquels le public n'a pas accès, la commission Warren conclut qu'Oswald était coupable et qu'il avait agi seul. Là encore, les partisans de la théorie du complot rétorquent que la commission Warren était sous l'influence du gouvernement.

Complot gouvernemental

Pour certains, il ne fait aucun doute que le gouvernement américain a fait éliminer JFK. Pourquoi ? Il paraîtrait que, seize ans après l'incident de Roswell, le président s'intéressait d'un peu trop près aux extraterrestres…

Il aurait donc été assassiné pour l'empêcher de mener à bien un projet de voyage dans l'espace. Depuis l'incident de Roswell, le gouvernement s'était montré très évasif sur les circonstances de l'événement, ce qui lui donnait un avantage certain sur un public ignorant et donc plus vulnérable. Le gouvernement n'était certainement pas pressé que la société apprenne la vérité, et que tous ses secrets soient révélés au grand jour – ce qui arriverait inévitablement en cas de voyage dans l'espace.

Si, par exemple, le gouvernement avait conclu un accord avec des extraterrestres leur permettant d'enlever des humains en tant que cobayes en échange de leur technologie avancée, il aurait sûrement tout fait pour empêcher que son secret soit découvert. Jusqu'à tuer Kennedy ?

Le président Kennedy aurait déjà été au courant des missions spatiales secrètes du gouvernement, de son accord avec les extraterrestres et de la base lunaire construite pour accueillir jusqu'à 40 000 humains, ainsi que des projets sinistres liés à la conquête de Mars. Si l'on en croit cette théorie, Kennedy prévoyait de tout révéler. Le gouvernement n'a donc eu d'autres choix que de le faire assassiner, en choisissant exprès Oswald pour donner l'impression d'un attentat amateur.

Fidel Castro

Fidel Castro, le leader communiste de Cuba à l'époque, n'a jamais caché son antipathie envers la démocratie américaine. Interrogé à propos de l'assassinat, il nia avoir jamais voulu assassiner le président, arguant qu'une telle action irait à l'encontre de ses intérêts en déclenchant une invasion américaine qu'il n'aurait aucune chance de gagner. Sans compter que Kennedy lui-même n'avait rien fait qui puisse lui attirer la haine du président cubain : il s'était même opposé au complexe industriel militaire en refusant d'envoyer des troupes à Cuba.

Cela dit, si Castro n'a sans doute pas assassiné Kennedy lui-même, il lui aurait malgré tout été facile d'obtenir des renseignements sur le passé de Lee Harvey Oswald et de le persuader de passer à l'acte. Oswald était lui-même un fervent communiste qui relayait largement la propagande du régime cubain.

Il est difficile de dire ce que Castro aurait eu à gagner dans l'assassinat du président. Il savait que Kennedy n'avait pas l'intention de lui déclarer la guerre. En revanche, les magnats du pétrole américain auraient, eux, volontiers évincé Castro, qui avait détruit leurs usines et installations pétrolières à Cuba.

Kennedy avait imposé de strictes restrictions sur le commerce du pétrole, privant les magnats de l'industrie de millions de dollars. Et la situation ne semblait pas près de changer. Auraient-ils décidé de régler eux-mêmes le problème en éliminant le président ?

Les liens entre Castro, Kennedy, l'industrie pétrolière et Oswald sont pour le moins troubles. On sait seulement qu'il existait de nombreux désaccords non résolus entre eux. Des désaccords assez forts pour pousser jusqu'au meurtre ?

La mafia

Peu de personnes savent que Robert, le frère de John Kennedy, travaillait à réduire les gangs de crime organisé aux États-Unis, dont ceux de la mafia. Et les membres des gangs mafieux s'accordaient tous à dire que la disparition d'au moins un des frères Kennedy ne serait pas pour leur déplaire...

L'assassinat du président pourrait être interprété comme une sérieuse tentative d'intimidation pour dissuader le gouvernement américain de poursuivre ses enquêtes sur le milieu du crime. Un tel coup d'éclat aurait permis de prouver au grand jour que nul ne pouvait s'opposer à la mafia – pas même le président.

Certains témoins rapportent avoir plusieurs fois aperçu Oswald en compagnie de membres de gangs mafieux. Si, effectivement, il travaillait pour leur compte, peut-on imaginer que Jack Ruby aurait ensuite été employé pour le faire taire ? Oswald avait déjà laissé entendre qu'il en savait plus que ce qu'il n'avait bien voulu révéler.

C'est bien connu, les mafieux ne sont pas des enfants de chœur. La mafia recherchait constamment de nouvelles armes et de nouveaux hommes de main, or Kennedy avait mis leurs plans en péril en menaçant de se retirer du Vietnam. La présence militaire américaine dans le pays empêchait indirectement les autorités vietnamiennes de stopper l'écoulement régulier de drogues vers les États-Unis, ce qui, parallèlement, permettait à la mafia de multiplier ses profits... Lorsque Kennedy fut assassiné, le document mentionnant qu'il envisageait de retirer ses troupes du Vietnam ne fut jamais retrouvé. Il semblerait que la mafia ait finalement trouvé une solution définitive pour permettre aux drogues de continuer à être acheminées jusqu'aux États-Unis.

La mafia aurait-elle pu infiltrer le gouvernement américain ? Certains dirigeants ont-ils été corrompus pour servir les intérêts de la mafia ? Cela expliquerait, en tout cas, pourquoi aucune enquête n'a jamais exploré sérieusement la piste du complot.

La CIA

Kennedy et la CIA s'étaient trouvés dans une impasse concernant le débarquement de la baie des Cochons, une opération qui prévoyait que des exilés cubains payés et entraînés par la CIA envahissent Cuba pour tenter de renverser le gouvernement de Fidel Castro. Ce fut un échec complet. Lorsqu'il fallut désigner un responsable, ni Kennedy ni la CIA ne voulurent céder : pour Kennedy, la CIA avait mal supervisé l'opération. Pour la CIA, la faute revenait à Kennedy qui ne leur avoir pas fourni suffisamment de ressources. L'hostilité ambiante aurait-elle pu conduire jusqu'à l'assassinat ? À l'origine, la CIA prévoyait sûrement des représailles moins radicales, mais imaginons que Kennedy ait découvert qu'on fomentait un complot contre lui ou son gouvernement : l'éliminer serait devenu la seule solution pour le faire taire. On ne peut écarter la possibilité que le meurtre ait été commis par la CIA pour protéger ses intentions. Dans ce cas, l'assassinat ne devait laisser aucune trace impliquant la CIA. D'où l'idée de faire appel à un tueur à gages extérieur.

Oswald se serait contenté de faire le « sale boulot » une fois le complot mis en place. Avec les moyens à sa disposition, la CIA n'aurait eu aucun mal à couvrir ses traces et le fait d'engager un tueur aussi amateur qu'Oswald l'aurait mise à l'écart de tout soupçon.

Il est même possible que Kennedy ait été abattu par les balles d'un agent des services secrets de la CIA. Oswald n'aurait été là que pour se faire voir du public, tandis qu'un tireur d'élite, caché derrière un monticule, aurait été chargé de viser. Certains témoins ont rapporté avoir aperçu des agents qui n'avaient aucune raison de se trouver sur place ce jour-là. Y avait-il un second tireur caché dans les rues de Dallas ?

Complexe militaro-industriel

Lorsque Kennedy annonça son intention de se retirer du Vietnam, le moins qu'on puisse dire est qu'il ne se fit pas que des amis. La mafia, à qui la guerre profitait, se sentit menacée, ainsi que le complexe militaro-industriel – c'est-à-dire le rapport entre le gouvernement, les forces armées et l'industrie manufacturière. La branche industrielle de ce triangle de fer en voulait déjà à Kennedy pour sa gestion de Cuba.

La réélection de Kennedy était loin d'être gagnée d'avance et il avait déjà fait diffuser un communiqué affirmant qu'il retirerait ses troupes du Vietnam une fois les élections terminées. Pourtant, quatre jours seulement après l'assassinat, Johnson fit envoyer des troupes supplémentaires, ce qui allait à l'encontre des souhaits du président. La mafia, en revanche, se frottait les mains, de même que le complexe militaro-industriel. Il est difficile de savoir si celui-ci aurait pu en vouloir à Kennedy au point de le tuer, mais il est certain que les dernières actions de Kennedy allaient contre ses intérêts.

Vient maintenant la question de savoir si le FBI était impliqué. Il paraît improbable qu'il ait lui-même assassiné le président, préférant les actions plus discrètes aux coups d'éclat en public. Mais aurait-il pu être impliqué dans le complot ?

Même s'il n'est pas directement responsable de la mort de Kennedy, le FBI est susceptible d'avoir été au courant de se qui se tramait. N'est-il pas censé déjouer les complots mettant en péril la sécurité du pays ?

Le KGB

Les partisans des théories d'extrême gauche sont convaincus qu'Oswald a agi seul au nom de la cause communiste. Durant les deux ans qu'il passa en Russie, Oswald épousa une Russe qu'on disait sous l'influence de partisans marxistes-léninistes, et avait été endoctriné pour croire aux bénéfices du mode de vie communiste. De plus, alors même que la guerre froide faisait rage, Oswald semblait volontiers prêt à prendre les armes au nom de l'amour.

Le rapport du professeur Revilo Oliver, qui occupe 123 pages dans le rapport Warren, affirme qu'un complot communiste international a tué Kennedy parce qu'il ne s'était pas révélé aussi efficace qu'il l'avait promis. Kennedy n'avait, semble-t-il, aucune intention de se convertir au communisme. Oliver conclut avec regret que si Kennedy – instrument du communisme, selon lui – fit l'objet d'un deuil national, personne ne versa une larme lorsque Adolf Hitler disparut…

John Lennon

8 décembre 1980. John Lennon est abattu à la sortie du « Dakota », à New York, par Mark David Chapman, un fan de vingt-cinq ans. Chapman n'était-il qu'un tueur dérangé de plus, ignorant la raison même de son geste, ou a-t-il servi de couverture à un assassinat politique ?

Chapman n'a certainement pas tué John Lennon pour devenir célèbre : il a décliné, au cours de sa vie, environ 40 demandes d'interviews, admettant lui-même ne pas rechercher la publicité. Il n'a jamais accordé d'entretien ni accepté d'apparaître dans aucun documentaire. Il fit preuve d'un sang-froid remarquable après avoir abattu le chanteur.

Lennon était le musicien le plus politiquement actif de sa génération. Ce qui, associé à sa réputation de consommateur de drogues, en avait fait un visiteur « indésirable » aux yeux des autorités américaines, qui lui avaient refusé le visa de résident aux États-Unis. Il est intéressant de noter que son retour au succès musical coïncide justement avec l'ascension au pouvoir de Reagan. La politique de Reagan était radicale, et seul Lennon aurait réussi à soulever des millions de personnes contre lui. Représentait-il une menace politique assez importante pour être assassiné ?

Dans son livre *Qui a tué John Lennon ?*, Fenton Bresler soutient que Chapman a reçu un lavage de cerveau le programmant à tuer Lennon.

Selon une autre théorie, c'est le célèbre auteur Stephen King qui aurait tué Lennon. Chapman aurait simplement été payé pour se faire accuser. L'hypothèse se fonde sur l'étonnante ressemblance physique entre King et Chapman. Un message gouvernemental codé aurait été dissimulé quelques semaines avant le meurtre dans les titres des journaux et dans des lettres reçues par un éditeur, signées de plusieurs personnes dont les noms, une fois remis dans l'ordre, comprennent le complot de Chapman et une partie de celui de Stephen King. L'un des auteurs de ces lettres dit n'être « qu'un pion attendant qu'une main géante me pousse sur une case ennemie », précisant que cette main géante est celle du président Reagan. Cette lettre ferait référence au fait que Chapman a été manipulé pour endosser la responsabilité d'un crime qu'il n'a pas commis. Coïncidence troublante, peu avant que Lennon soit assassiné, Chapman avait abordé Stephen King pour lui demander s'il pouvait prendre une photo avec le célèbre écrivain. Il affirma avoir d'abord eu l'intention de tuer King, mais n'avoir pas eu le cran d'aller jusqu'au bout. À moins que Chapman et King ne se soient rencontrés pour discuter de leur intention d'éliminer Lennon ?

Joseph Staline

Lorsque Sergueï Kirov, ami de Staline et accessoirement confident et aide politique, devint un rival potentiel pour la présidence du Parti communiste, il devint urgent de l'éliminer de la scène politique... Beaucoup pensent que Staline a fait assassiner Kirov puis fait porter le chapeau à la faction Zinoviev, ce qui lui donnait une excuse pour exclure les membres dissidents du Parti. Même si rien n'a jamais été prouvé, il existe des liens entre l'assassin de Kirov et le cercle de confiance de Staline – on prétend que c'est lui-même qui a payé Leonid Nikolaïev pour commettre le meurtre. Nikolaïev fut exécuté par un peloton d'exécution quelques semaines après l'assassinat, et sa femme fut également tuée. Étrangement, des témoins s'étant trouvés sur les lieux juste après l'exécution ont perdu la vie dans de mystérieux « accidents » dans les jours qui suivirent les événements. Conspirateur rusé, Staline avait sans aucun doute compris que le charismatique Kirov pourrait lui faire de l'ombre auprès des foules. Dans *Staline au pouvoir*, Robert Tucker écrit que dès l'instant où le culte Kirov fut incorporé au culte Staline – ce qui lui fit gagner en prestige –, Kirov devint le « meilleur ami et compagnon d'armes du camarade Staline ». On montra de vieilles photos de Staline et Kirov ensemble dans la garde d'honneur, et Staline apparut au premier plan lors de l'enterrement sur la place Rouge.

Mais ce meurtre n'était qu'un des rouages d'un complot bien plus élaboré, dont le but final était largement plus ambitieux que l'élaboration d'un rival politique isolé. Ainsi que le décrit Tucker : « Les personnes à la tête du complot voyaient le meurtre de Kirov comme une occasion de décréter officiellement l'Union soviétique sous la menace d'une conspiration, dont l'assassinat de Kirov n'était que le début d'un vaste plan d'action terroriste contre le régime ». Cela donnait à Staline l'excuse idéale pour entreprendre les Grandes Purges qui coûtèrent la vie à des millions d'innocents.

Avant même l'assassinat, Staline avait fait décréter un statut permettant au Comité spécial récemment mis en place d'éliminer « toute personne considérée comme une menace pour la société ». Il se gardait pourtant de préciser en quoi quelqu'un pouvait constituer une menace, de sorte que le statut pouvait s'appliquer à quiconque allait à l'encontre des intérêts de Staline. De même qu'Hitler avait tenté de persuader ses citoyens que le génocide était perpétré pour leur propre bien, Staline n'eut aucun scrupule à affirmer que son programme servait la justice et la cohésion sociale.

La mort de Staline elle-même est voilée de mystère. Même si la version officielle prétend qu'il est mort d'une hémorragie cérébrale chez lui, près de Moscou, les circonstances entourant sa mort sont incertaines. Pour commencer, à une heure avancée de la nuit, après que Staline eut toute la soirée à dîner en compagnie de membres du Parti, son garde principal donna l'ordre aux autres gardes de se retirer, ce qui était inhabituel : Staline était paranoïaque, et forçait généralement ses gardes à le veiller toute la nuit pour le défendre contre une attaque éventuelle. Lorsque, au matin, ils reprirent leur poste, Staline n'était pas réapparu. Commençant à s'inquiéter de son absence (même s'ils furent rassurés en voyant sa chambre allumée tôt dans la matinée), ils envoyèrent finalement quelqu'un pour vérifier que le dictateur allait bien. Ils le trouvèrent à demi conscient en train de gromeler des sons incohérents. Les membres du Parti furent immédiatement appelés en renfort.

Certaines sources rapportent qu'ils ont attendu jusqu'à une journée entière avant de faire venir de l'aide. Pourquoi n'ont-ils pas agi plus tôt ? Attendaient-ils d'être sûrs que Staline était mort ? Le dictateur a-t-il été empoisonné pendant que les gardes dormaient ? La montre de Staline s'est arrêtée à 6 h 30 – heure à laquelle les gardes ont vu la lumière s'allumer dans la chambre. L'assassin était-il dans la chambre à ce moment-là ?

Bien que les membres du Parti aient exprimé publiquement leur chagrin d'avoir perdu leur leader, en privé, le deuil aurait fait place au soulagement voire à la joie. Lavrenti Beria, le chef de la police secrète, se serait vanté devant un autre politicien d'avoir « liquidé » Staline. Beria était l'une des prochaines personnes à devoir être exécutées lors d'une purge du Parti – aurait-il éliminé le dictateur afin de sauver sa propre vie ?

D'autres pensent que plusieurs membres du Parti étaient impliqués dans le complot, sans doute parce qu'ils redoutaient la guerre mondiale que Staline avait prévu de déclencher. Quelle que soit la vérité, les circonstances de sa mort restent pour le moins mystérieuses – mais le fin mot de l'histoire ne sera sans doute jamais connu.

Kurt Cobain

La mort subite et prématurée du chanteur Kurt Cobain, véritable légende vivante, était-elle vraiment un suicide ? Ou sa femme Courtney Love, dont il était séparé, était-elle impliquée dans un complot visant à l'éliminer ?

L'élément le plus troublant est que la lettre de « suicide » laissée par Cobain avant sa sortie de scène dramatique ne fait pas spécialement penser à une personne suicidaire. Il dit par exemple se sentir « bien, très bien, et être reconnaissant ». L'ensemble de la lettre est écrit au présent, sans le désespoir qu'on pourrait pu entendre d'un homme sur le point de se tuer.

D'après les psychologues et le centre de désintoxication que Cobain avait fréquenté une semaine seulement avant sa mort, et selon les dires de ses amis, il n'avait rien montré d'un comportement suicidaire. Une affirmation surprenante puisque, quelques mois auparavant, Cobain avait fait une « tentative de suicide » à Rome en mélangeant du champagne à du Rohypnol à forte dose. Après l'incident, Cobain écrivit une lettre à Courtney dont l'une des lignes, selon elle, « évoquait très clairement un suicide ». « Le Dr Baker m'a dit que je devrais choisir entre la vie et la mort », écrivait Kurt. « Je choisis la mort. »

Certains ont avancé l'idée que Cobain, qui avait refusé un contrat de 9,5 millions de dollars pour se produire en tête d'affiche du festival underground Lollapalooza, craignait pour sa vie et aurait préféré se suicider. Le pistolet utilisé était chargé de trois balles ; s'agissait-il de faire croire que son suicide était en fait un meurtre ? L'élément le plus étrange de l'affaire est que la police ne retrouva aucune empreinte digitale sur le pistolet. Mais si Cobain s'est réellement suicidé, il paraît absurde qu'il ait pris cette peine. Et pourquoi un homme sur le point de mourir se soucierait-il d'effacer des preuves ?

Le fait que le mariage de Courtney et Kurt battait de l'aile ne semble pas être un motif suffisant pour justifier un meurtre. Cela dit, Courtney avait d'autres mobiles. En janvier 1994, Cobain avait confié au magazine *Rolling Stone* qu'il envisageait de divorcer. Il semblerait que les papiers du divorce étaient déjà prêts au moment de sa mort. Courtney, quant à elle, aurait demandé à l'un de ses avocats de lui trouver « l'avocat de divorce le plus vicieux, le plus implacable qu'il pourrait trouver ». Kurt avait aussi laissé entendre qu'il souhaitait effacer Courtney de son testament, auquel cas elle aurait eu tout à gagner d'un suicide avant que le testament ne soit modifié par le divorce. La mort de Kurt décuplerait immédiatement les ventes d'albums de Nirvana… et c'est Courtney qui empocherait le gros lot.

Officiellement, Kurt s'est suicidé d'une balle en pleine tête. Dans les jours et les semaines qui suivirent sa disparition, des dizaines de fans désespérés se donnèrent la mort. Au vu de cette vague de suicides, on imagine facilement qu'il aurait été difficile pour la police de faire marche arrière et d'ouvrir une enquête pour meurtre.

Lady Diana

La mort soudaine et brutale de la princesse Diana, décédée à Paris le 31 août 1997 dans un accident de voiture laissa des milliers de sujets inconsolables et, avec eux, une multitude de théories du complot. S'agissait-il d'un accident ou d'un acte délibéré ? Très vite, plusieurs coupables potentiels furent montrés du doigt.

La nuit même de son décès, la rumeur prétendait déjà que Diana avait été volontairement tuée suite à un plan machiavélique dont le chauffeur ivre et la course-poursuite des paparazzi n'auraient été qu'une façade. Plusieurs théories distinctes commencèrent à émerger dans les deux semaines qui suivirent le drame. Certains suspectèrent d'abord la famille royale, ou encore les services secrets aux ordres des membres de la royauté. L'assassinat de Lady Di aurait été fomenté pour permettre à Charles d'épouser sa confidente et bien-aimée de longue date, Camilla Parker Bowles. Ou bien voulait-on empêcher que le futur roi d'Angleterre n'eût pour beau-père Dodi al-Fayed, un musulman ? Dans un discours télévisé adressé à ses partisans et relayé par la BBC, le dirigeant libyen le colonel Kadhafi déclara que « l'accident » résultait d'un complot franco-anglais visant à éviter le mariage entre un Arabe et une princesse britannique.

D'autres suspects ont été désignés dont l'IRA irlandaise, la CIA, les militants islamistes et même les francs-maçons – Diana et Dodi n'ont-ils pas été tués sous un pont en pierre, symbole maçonnique ? À moins qu'ils n'aient été assassinés par les agents de constructeurs d'armes internationaux, menacés par la campagne qu'ils menaient contre les mines antipersonnel.

En avril 2008, après des années d'enquête, le jury rendit enfin le verdict officiel : la mort de Diana était due à une erreur humaine, c'est-à-dire aux grossières négligences de conduite du chauffeur Henri Paul et des photographes de presse. À moins que les coupables soient à chercher ailleurs…

M16

Si Diana était une menace pour la couronne, elle présentait du même coup un risque pour la stabilité de l'État. Les services secrets auraient-ils pu l'éliminer pour cette raison ? Certains membres des services secrets ont, semble-t-il, une définition assez « large » de ce qui constitue une menace pour l'État. Le M16 détient, entre autres, des dossiers sur John Lennon et Jack Straw, un membre du Parlement anglais. Un ancien agent affirme même que le M16 avait prévu de détruire l'ensemble du gouvernement travailliste dans les années 1970. Il ne serait pas impossible qu'une organisation qui estime John Lennon capable de semer un chaos social et politique ait pu croire que Diana allait semer le désordre chez les sujets de la couronne.

Le M16 aurait d'ailleurs harcelé Diana durant tout le temps que dura son mariage, en la traquant pour ensuite rendre publiques des informations personnelles. L'organisation aurait été notamment responsable d'avoir révélé des enregistrements de conversations téléphoniques privées de la princesse avec un ami intime, un événement qui avait largement entaché sa réputation durant sa séparation d'avec Charles.

Trevor Rees-Jones, le garde du corps de la princesse, avait dans le passé fait partie du régiment parachutiste et passé deux périodes en Irlande du Nord. Il avait également servi dans la police militaire royale. Avec une telle formation, il est plus probable que Rees-Jones se soit trouvé en contact, à un moment ou un autre, avec les membres des services secrets. Le fait qu'il soit le seul survivant de l'accident signifie-t-il qu'il faisait partie du complot visant à tuer Diana ?

La cible Dodi

Certains pensent que c'est Dodi al-Fayed, et non Diana, qui était visé par l'attentat. Les coupables ? Des ennemis économiques de son père, Mohamed al-Fayed. En tuant Diana en même temps que lui, ils savaient que toute l'attention médiatique se concentrerait sur la princesse.

Mohamed al-Fayed s'était fait un certain nombre d'ennemis lorsqu'il était au pouvoir. Ce n'est qu'au terme d'âpres négociations qu'il avait pu faire l'acquisition de la marque Harrods. La nationalité britannique lui avait été refusée sous prétexte que les négociations et autres affaires auxquelles il s'était livré manquaient de clarté. Dodi al-Fayed, son fils aîné, faisait donc une cible de choix pour qui aurait voulu affaiblir Mohamed al-Fayed.

Le point de vue des Égyptiens

Un grand nombre de citoyens égyptiens se sentirent blessés dans leur identité quand la nationalité anglaise fut refusée à Mohamed al-Fayed. Lorsque, après l'accident, toute l'attention des médias se reporta sur la mort de Diana en éclipsant celle de Dodi, les Égyptiens eurent l'impression d'être visés par un regain d'hostilité et commencèrent à croire que l'accident avait été monté de toutes pièces. Dans *Al-Ahram Weekly*, le plus grand quotidien de langue anglaise en Égypte, le chroniqueur Anis Mansour écrivit ainsi : « Les services secrets britanniques ont tué Diana pour sauver la couronne, de même que la CIA a tué Marilyn Monroe au même âge. Lorsque le risque devint réel de voir la princesse épouser un musulman, et peut-être plus tard d'accoucher d'un petit Mohamed ou d'une Fatemah qui, à son tour, serait frère ou sœur du roi d'Angleterre, gardien de l'Église, la décision fut prise de remédier au problème. »

Certains pensent en effet que Diana était sur le point d'annoncer sa conversion religieuse. « Qui a tué Diana ? » interroge le quotidien *Al-Ahram* dans un article intitulé « La conversion de Diana à l'islam ». « Sont-ce les services secrets britanniques ? Israéliens ? Les deux, peut-être ? Nous pensons sérieusement que Diana a été tuée parce qu'elle allait se convertir à l'islam. Elle avait d'ailleurs prévenu le public qu'elle allait les choquer. »

Certains commentateurs égyptiens ne se sont cependant pas privés pour se moquer de ces théories racoleuses. Non sans humour, le *Al-Ahram Weekly* a fait remarquer qu'un certain journaliste avait « oublié de mettre en cause la compagnie française responsable de la construction du tunnel »...

Diana est vivante

Diana est-elle réellement morte, ou a-t-elle mis en scène sa propre mort ? Qui sait, peut-être vit-elle en ce moment même loin des paparazzi sur une île paradisiaque en compagnie de Dodi (sans oublier Elvis, Michael Jackson et quelques autres célébrités ressuscitées...).

Le fait a été souligné que contrairement, par exemple, à Mère Thérésa qui repose dans un cercueil de verre, celui de Diana ne laisse rien apparaître. Le cercueil de Dodi n'a jamais été montré, et encore moins présenté ouvert lors des funérailles. Officiellement, c'est parce que leurs visages avaient été trop abîmés par l'accident pour être présentables. Juste après l'accident, elle était pourtant encore en état de prononcer quelques derniers mots.

Autre élément venant étayer la thèse que Diana est vivante : Trevor Rees-Jones, le garde du corps, a miraculeusement survécu à l'accident. Or, les experts de Mercedes sont formels : il est quasiment impossible de survivre au crash d'une voiture lancée à près de 200 km/h. Peut-être que, comme le soutient l'avocat d'Henri Paul, la voiture roulait en fait à moindre allure. Et si l'accident avait été mis en scène par Rees-Jones après avoir préalablement déposé Diana et Dodi autre part ?

Plus étrange encore, le chauffeur de Dodi, cette nuit-là, n'était pas son chauffeur habituel. Le mystère Henri Paul, cet agent de sécurité qui n'a accepté de conduire le véhicule qu'à la dernière minute, n'a jamais été résolu. Durant plusieurs jours suivant l'accident, son identité a été gardée secrète. Il était, selon ses collègues de l'hôtel Ritz, plutôt solitaire, et passait peu de temps avec les autres. Les informations sur la vie personnelle d'Henri Paul sont si maigres que certains vont jusqu'à affirmer qu'il n'a jamais existé. D'autres pensent qu'il a été évacué en secret de l'hôpital après avoir été déclaré mort par des médecins travaillant avec la famille al-Fayed. Les rapports sur le taux d'alcool d'Henri Paul la nuit de l'accident se contredisent : l'enquête officielle mentionne qu'il était trois fois au-dessus de la limite légale, mais les témoins affirment ne l'avoir vu boire que deux verres. Cette information a été confirmée de façon officieuse par Lord Stevens, qui a supervisé l'enquête de la police métropolitaine sur l'accident.

Enfin, un dernier élément est plus suspect encore : six heures seulement avant sa mort, Diana avait confié au *Daily Mail* qu'elle comptait se retirer complètement de la vie publique. On peut dire qu'elle y a réussi… On ne saura sans doute jamais si l'accident était une spectaculaire mise en scène pour lui permettre de refaire sa vie à l'abri des regards, ou une tentative de mort simulée ayant tourné au drame. La chirurgie esthétique aidant, il ne serait pas étonnant de voir un jour une « distante cousine » de la famille royale refaire une apparition pour rendre visite à Henri et William. Sauf si, comme certains le prétendent, l'accident a été mis au point par les extraterrestres afin de rapatrier Diana dans le vaisseau mère en compagnie… d'Elvis. La boucle est bouclée.

Libération du terroriste de Lockerbie

Le 20 août 2009, le terroriste à la bombe Abdelbaset Ali al-Megrahi fut libéré pour bonne conduite après avoir passé huit ans derrière les barreaux d'une prison écossaise. Atteint d'un cancer de la prostate au stade terminal, il fut rapatrié en Libye. Sa libération controversée suscita immédiatement des rumeurs de complot.

21 décembre 1988. Le vol Pan Am 103 à destination de l'aéroport John-F.-Kennedy à New York explose en plein ciel, tuant 270 personnes (les 259 passagers et membres de l'équipage et 11 personnes à terre) en s'écrasant sur la ville de Lockerbie, en Écosse. Jugé coupable de l'attentat le 31 janvier 2001, Megrahi est condamné à la prison à vie.

Beaucoup estiment que Megrahi n'a pas été relâché en raison de son état de santé, ni à cause d'un éventuel accord de transfert de prisonnier entre le Royaume-Uni et la Libye : sa libération se serait déroulée dans le cadre d'un accord pétrolier entre les deux pays. Les réserves de pétrole du Royaume-Uni s'étaient réduites d'une façon conséquente au cours des dix années précédentes, et le pays commençait à dépendre des exports.

Ce prétendu accord avec un pays aussi riche en pétrole que la Libye visait-il à aider le Royaume-Uni à ne plus dépendre des ressources naturelles de l'Arabie saoudite et de la Russie ? Nul doute que l'administration britannique aurait été soulagée de ne plus être dépendante du pétrole et du gaz russe, d'autant que le gouvernement russe commençait à utiliser sa position de force comme une arme politique. L'Ukraine avait déjà été prise au collet par l'inflation des prix de l'énergie, et la Russie n'avait pas hésité à cesser d'approvisionner le pays lorsque les Ukrainiens avaient protesté contre les tarifs imposés. En passant un accord avec la Libye, le Royaume-Uni évitait ainsi de se retrouver dans la même situation délicate.

Certains pensent que le dirigeant libyen, le colonel Kadhafi, aurait exploité en sa faveur l'indécision concernant le cas Megrahi entre le gouvernement britannique basé à Londres et le Parlement délégué écossais, qui craignaient des retombées négatives de l'opinion publique nationale et internationale. Kadhafi, qui savait à quel point le Royaume-Uni avait besoin de pétrole et souhaitait réhabiliter la Libye sur la scène politique internationale, sauta sur l'occasion.

Il aurait donc prévenu le gouvernement britannique que si Megrahi mourait en prison, les conséquences sur les relations diplomatiques entre les deux pays seraient catastrophiques. Du reste, les autorités britanniques avaient déjà pu constater que les menaces de Kadhafi n'étaient pas à prendre à la légère : le dirigeant libyen avait déjà réagi violemment lorsque la Suisse avait fait emprisonner son fils Hannibal et sa femme enceinte à Genève pour être soupçonnés d'avoir frappé des serviteurs en juillet 2008. Même s'ils ne passèrent que deux jours derrière les barreaux, les représailles furent brutales et immédiates : les ressortissants suisses en Libye firent l'objet d'arrestations arbitraires, les vols suisses à destination de Tripoli furent annulés. Les citoyens suisses, craignant pour leur sécurité, furent contraints de se réfugier à l'ambassade de Tripoli, et la Libye retira des banques suisses un capital estimé à 5 milliards de dollars américains. Le pays réduisit aussi ses exportations de pétrole vers la Suisse.

On comprend mieux pourquoi le gouvernement britannique aurait préféré risquer sa réputation auprès de l'opinion publique que de devoir essuyer les représailles de Kadhafi. Megrahi fut libéré en août 2009, au grand scandale de la population britannique. Il fut reçu en héros à son arrivée en Libye.

Luniens

La plupart des gens ont déjà entendu parler du mythique habitant de la Lune. Mais si la légende disait vrai ? Si, en fait d'un habitant isolé, la Lune était en fait habitée par plusieurs hommes et femmes ? La rumeur prétend qu'il existerait déjà une mystérieuse société lunaire regroupant des centaines, voire des milliers de personnes disposant d'une technologie nettement supérieure à tout ce que les humains peuvent connaître. Si on ne connaît pas en profondeur le fonctionnement de cette société, les théories les plus courantes mettent en cause nul autre que Sigmund Freud et la CIA…

Selon cette théorie, donc, le Sigmund Freud que nous connaissons aurait fait partie de cette société, dont tous les membres sont des clones – une race de mini-Freud, en quelque sorte ! La conscience de Freud aurait commencé à le travailler lorsqu'il réalisa que ses compatriotes luniens comptaient utiliser leur supériorité scientifique et psychologique pour prendre le contrôle de notre Terre. C'est à ce moment qu'il aurait décidé de se rendre en secret jusqu'à notre planète pour nous transmettre son savoir lunaire : ses fameuses théories de la psychologie.

Freud, qui ne révéla jamais sa véritable identité, n'eut pas le temps de nous apprendre tout ce qu'il aurait souhaité. Malgré tout, ses clones lunaires se sentirent menacés par son initiative ; ils décidèrent de se rendre eux-mêmes sur Terre, cette fois non pas pour partager leur savoir mais pour convaincre les dirigeants terriens de se rallier à leur autorité et d'imposer la loi lunaire sur notre planète. Freud avait raison de s'inquiéter : les Luniens avaient bien l'intention de conquérir la Terre...

Ceux qui soutiennent cette théorie pensent que les Luniens ont pris contact avec les autorités américaines à peu près au moment de la création de la CIG, rebaptisée CIA en 1947. Pourquoi avoir choisi cette date précise ? La CIA serait-elle composée entièrement de Luniens ? Si c'est le cas, il faut en conclure que de nombreux autres secteurs ont été infiltrés, et que les Luniens occupent désormais des postes haut placés dans l'armée et la marine américaines.

Les sceptiques répondront que si les Luniens existaient, ils auraient forcément été découverts par les nombreux robots envoyés pour sonder l'ensemble de la surface de la Lune. L'hypothèse des partisans de la théorie lunienne est que les habitants de la Lune ont intercepté les robots pour leur fournir des informations erronées. Quant aux cosmonautes, ont-ils subi un lavage de cerveau pour effacer les informations de leur mémoire ? La conquête de la Lune s'est étalée sur de nombreuses années, et les Luniens auraient eu tout le temps de préparer des cachettes secrètes en prévision de notre arrivée.

La question s'impose : si les Luniens ont déjà infiltré notre planète, quelle sera la prochaine étape de leur plan ? La Terre sera-t-elle bientôt à leur merci ? Voilà ce qui arrive quand on n'écoute pas assez Freud...

Malcolm X

Le 21 février 1965, Malcolm X, le célèbre militant afro-américain, fut abattu d'un coup de fusil rapproché alors qu'il entamait un discours à New York. Le 10 mars 1966, trois hommes furent accusés de meurtre au premier degré. L'un d'eux, Talmadge Hayer, membre de la Nation de l'Islam, avoua être l'auteur du tir, mais affirma catégoriquement que les deux autres, Thomas 15X Johnson et Norman 3X Butler, étaient innocents.

Le sentiment général était que la Nation avait organisé l'assassinat après que le leader de l'organisation, Elijah Muhammad, eut publiquement reproché à Malcolm X de s'être retiré de la Nation, ajoutant qu'il craignait que celui-ci ne divulgue leurs secrets. Deux de ces « secrets » auraient effectivement été embarrassants pour l'organisation : la Nation aurait clandestinement rencontré le parti nazi américain et le Ku Klux Klan et aurait accepté de l'argent venant de racistes blancs, qui partageaient l'idéal de séparation raciale de la Nation. L'autre secret à ne pas ébruiter était qu'Elijah Muhammad aurait enfanté de nombreux « bébés divins » avec six secrétaires mineures de l'organisation.

L'assassinat de Malcolm X a aussi donné lieu à d'autres théories. L'une des hypothèses avancées est qu'un cartel de trafiquants de narcotiques, chinois sans doute, aurait donné l'ordre d'éliminer Malcolm parce son combat contre le trafic de drogues à Harlem représentait une menace potentielle pour leurs affaires. Malcolm avait récemment abandonné toute consommation de drogues et d'alcool et avait tenté de convaincre ses sympathisants de l'imiter, affirmant que les blancs se servaient des drogues pour garder le pouvoir sur les noirs. Les dealers de drogues locaux ont-ils pris peur ?

La police new-yorkaise a également été soupçonnée d'être responsable du meurtre. Lors de l'arrestation d'Hayer sur la scène du crime, un second suspect fut arrêté en même temps. Celui-ci disparut ensuite mystérieusement sans que son identité soit jamais révélée. Il ne fut ensuite plus mentionné ni par la presse ni dans les rapports de police de l'époque ce qui a conduit certains à penser qu'il s'agissait d'un policier dont l'identité avait été cachée pour le protéger. Cette théorie est renforcée par l'étonnant manque de protection policière le jour de l'assassinat : les quelque vingt policiers chargés de la protection de Malcolm X étaient postés dans d'autres salles du bâtiment que celles du discours, voire pour certains dans des bâtiments différents. Il paraît surprenant qu'une figure politique aussi controversée n'ait pas été mieux protégée ; doit-on en conclure que la NYPD, la police new-yorkaise, était impliquée dans l'assassinat ?

D'autres pointent du doigt la CIA et le FBI. Malcolm, en effet, était sur le point de porter préjudice à l'image du pays en accusant les États-Unis de racisme et de violations des droits de l'Homme dans les pays du tiers-monde. Une variation de cette théorie suggère que le gouvernement a fait assassiner Malcolm parce que celui-ci avait décidé de cesser de militer pour la séparation raciale pour se consacrer à la défense des libertés civiles. Les autorités auraient craint que ce mouvement ne suscite des vocations communistes.

Les véritables raisons de l'assassinat de Malcolm X ne seront probablement jamais connues. Sa mort, comme celle de John Lennon, restera l'une des grandes énigmes de l'Histoire moderne.

Mars

Après la Terre, Mars est la planète la plus habitable de notre système solaire. Les recherches démontrent que, malgré des températures inférieures à −50 °C, Mars a bénéficié dans le passé d'un climat similaire au nôtre. Malheureusement, les chances de voir la vie se développer sur Mars ont été réduites à néant par une énorme pluie de comètes et/ou d'astéroïdes, laissant de nombreux cratères encore visibles aujourd'hui.

La découverte de fossiles microscopiques d'organismes semblables à des bactéries dans les météorites martiennes a fait conclure aux scientifiques que, à une certaine époque, la vie a existé sur Mars. Des photographies de la surface martienne ont révélé de remarquables structures pyramidales qui, en plus de sembler avoir été construites artificiellement, présentent aussi un « visage » ressemblant étrangement au grand Sphinx de Gizeh. Si le lien entre les deux constructions était avéré, tout ce que nous savons de notre histoire se verrait bouleversé.

Ces pyramides sont-elles l'œuvre d'une civilisation antique bien supérieure à la nôtre qui aurait réussi à voyager jusqu'à Mars ? Ou, plus inquiétant, les pyramides que nous connaissons sur Terre ont-elles été bâties par des êtres venus de Mars, qui auraient reproduit leurs propres constructions ? Ou bien par une civilisation venue d'un autre système solaire, dont nous ne connaîtrons sans doute jamais l'origine ?

Les partisans de la théorie du complot font logiquement remarquer que si nous avons effectué des recherches sur la vie sur Mars, d'autres planètes ont très bien pu faire de même avec nous. Les scientifiques ont prévu, à plus long terme, une série d'expériences leur permettant de vérifier si la vie pourrait se développer sur Mars à partir d'une simple bactérie. C'est sûrement de cette même façon que la vie a commencé sur notre planète. Qu'est-ce qui nous dit alors que nous n'avons pas été délibérément créés par une civilisation plus ancienne et plus avancée ? Si c'est le cas, faut-il s'inquiéter des intentions des Martiens ? Sommes-nous les jouets d'un gigantesque complot intergalactique ?

Il semblerait aussi qu'un petit groupe d'initiés sur la Terre en sache plus sur la question qu'il ne veut bien le dire. La sonde Mars Observer, lancée en 1993, s'est mystérieusement volatilisée trois jours avant d'atteindre l'orbite de la planète rouge. Les cyniques s'empresseront de conclure que la disparition de la sonde est simplement un moyen commode pour la NASA de cacher au public des informations délicates. Rien ne dit que la sonde Observer n'a pas été envoyée secrètement en orbite trois jours avant la date annoncée afin de donner aux responsables la possibilité de filtrer préalablement les informations obtenues. Si, par exemple, on avait découvert l'existence d'extraterrestres, il aurait été plus simple de dissimuler l'information que de devoir affronter le choc qu'elle provoquerait pour notre population.

Quelques sondes sont bien parvenues à se poser sur Mars, notamment Mars Express et Spirit. Mais, à chaque fois, des problèmes de communication ont entravé l'envoi des informations jusqu'aux salles de contrôle sur Terre. Certains pensent que les quelques images de Mars relayées par les médias ne sont que de vulgaires fabrications humaines ou que, pire encore, les Martiens se sont emparés des sondes pour ne montrer aux Terriens que ce qu'ils veulent bien nous faire voir.

Martin Bormann

La mort d'Adolf Hitler suscite encore de nos jours des interrogations, et de nombreux dirigeants nazis n'ont toujours pas répondu de leurs actes. Martin Bormann est l'un d'entre eux. Le député d'Hitler a disparu durant la Seconde Guerre mondiale sans que son corps soit jamais retrouvé. En 1972, un crâne identifié par le tribunal allemand comme étant celui de Bormann fut retrouvé, mais plusieurs chercheurs ont affirmé qu'il s'agissait d'un canular destiné à faire cesser la poursuite de cet ancien nazi. Si Bormann s'est effectivement échappé pour mener sa vie dans le plus grand secret, il a visiblement fait preuve de négligence : il aurait été aperçu un peu partout dans le monde, de la Scandinavie jusqu'aux Caraïbes.

Des éléments mis au jour par des officiers des services secrets britanniques tendent à prouver qu'il se serait réfugié en Angleterre après la guerre. Bormann ayant autorité pour déposer l'ensemble des fonds allemands dans des banques en Suisse, il aurait pu devenir un précieux atout pour les services secrets britanniques, qui l'auraient gardé captif dans un village reculé afin de pouvoir ensuite se servir de lui.

L'aspect le plus étrange de cette théorie est sans doute l'idée que le cerveau du plan serait Ian Fleming, ancien agent des services secrets britanniques et créateur du célèbre James Bond. Lorsqu'il mourut en 1964, Fleming n'avait jamais soufflé mot de l'affaire Bormann. Mais, comme le dira plus tard la veuve d'un de ses amis, « il aimait répéter qu'on devrait garder pour soi ce que la morale ne nous oblige pas à dire ». À méditer…

Martin Luther King

Lorsque, le 4 avril 1968, Martin Luther King fut abattu d'un coup de fusil, l'événement provoqua l'indignation des citoyens, entraînant une vague de manifestations dans plus d'une centaine de villes américaines. Deux mois plus tard, James Earl Ray, un prisonnier évadé dont la police avait relevé les empreintes sur un fusil trouvé sur les lieux du crime, fut appréhendé à l'aéroport d'Heathrow à Londres alors qu'il essayait de s'éloigner des États-Unis avec un faux passeport. Il fut extradé aux États-Unis où il avoua l'assassinat de Martin Luther King.

Mais comment expliquer qu'un voleur de petite envergure si peu expérimenté (il n'avait jusque-là commis que des délits tels des braquages de taxis et des vols à la tire dans des boutiques de quartier, se faisant souvent prendre sur le fait) ait pu mettre en place un assassinat aussi spectaculaire avant de fuir à Londres en transitant d'abord par Atlanta, Toronto et le Portugal ? Avec quel argent aurait-il payé les frais d'avions, et comment aurait-il planifié une fuite aussi élaborée ? Les enquêteurs du Congrès américain ont estimé que Ray a dû dépenser au moins 9 607 $ entre le moment où il s'est évadé de prison et son arrestation à Londres – soit l'équivalent d'environ 40 000 $ actuels. Surtout, il paraît absurde que quelqu'un qui ait pris la peine de mettre au point un tel plan ait ensuite été assez négligent pour laisser l'arme portant ses empreintes sur les lieux du crime.

Quelques jours avant de plaider coupable, Ray écrivit à son avocat une lettre dans laquelle il exprime certaines réserves : « J'ai l'impression qu'en plaidant coupable, j'endosse toute la responsabilité de ce qui s'est passé, mais cela me convient. » « C'est ma propre stupidité qui m'a mené là où je suis », écrivait-il aussi. Le Dr McCarthy DeMere, un chirurgien plastique de Memphis qui intervint auprès de Ray en qualité de physicien à la prison, témoigna en 1978 devant le Congrès avoir un jour demandé à Ray s'il était réellement coupable, ce à quoi Ray avait répondu : « Disons que oui, mais je ne me suis pas fourré dans cette affaire tout seul. » Ray rétracta son aveu quelques jours avant le début du procès, affirmant qu'il avait été convaincu par un tiers de commettre l'assassinat. Il aurait été manipulé par un dénommé « Raoul » qui aurait recruté Ray lors d'une opération de contrebande.

Début 1996, une certaine Glenda Grabow avoua un secret qu'elle avait gardé durant des années : elle connaissait Raoul. Sa déposition est relatée en détail dans un ouvrage du Dr William F. Pepper, qui aurait retrouvé la piste du mystérieux Raoul. Celui-ci vivrait désormais au nord-est des États-Unis. Il est originaire du Portugal, où Ray fit escale entre l'assassinat et sa capture à Londres. « Raoul » était un trafiquant d'armes, a expliqué Grabow : elle l'aurait vu décharger et assembler lui-même des pistolets illégaux. Ray affirme avoir fait passer certains de ces pistolets au Canada et au Mexique pour le compte de Raoul.

L'avocat de Ray maintint que Martin Luther King avait été assassiné par un complot dans lequel le gouvernement américain était impliqué. Le président Hoover n'avait jamais caché sa méfiance envers King, l'accusant d'être en lien avec les communistes et allant jusqu'à le traiter de « plus grand menteur que le pays ait connu ». On a déjà vu des figures politiques se faire assassiner pour moins que cela… Le FBI avait également une mauvaise opinion de King, décrit comme

« le leader noir le plus dangereux et le plus puissant des États-Unis », et l'accusant également d'être conseillé par les communistes.

Pour ceux qui croient au complot, Ray n'a été que le bouc émissaire de l'affaire. Il n'a plaidé coupable que pour éviter la peine de mort, sachant que c'est le sort qui l'aurait attendu s'il avait été condamné après avoir plaidé non coupable. En aurait-il été autrement s'il n'avait pas craint la condamnation à mort ? Ray n'eut de cesse de demander une révision de son procès jusqu'à sa mort en 1998, recevant même le soutien du propre fils de King, Dexter.

Lors du procès intenté en 1999 par la famille King contre Loyd Jowers, qui possédait un restaurant près de l'endroit où King fut abattu, Jowers admit avoir perçu 100 000 $ pour mettre en place l'élimination du leader. Un jury de Memphis le déclara coupable d'avoir organisé l'assassinat et conclut que des « agences gouvernementales » étaient également impliquées. Bien qu'une enquête gouvernementale conclut en 2000 qu'il n'existait aucune preuve formelle liant la CIA ou le FBI au meurtre, un certain nombre d'incohérences viennent contredire cette conclusion. Un pompier présent sur les lieux à l'heure de l'assassinat affirma avoir indiqué à la police que le tir provenait d'un buisson différent que celui qu'on pensait, mais la police refusa de prendre en compte son témoignage. Une femme témoin de la scène déclara que, immédiatement après le coup de feu, elle avait vu un homme s'enfuir en voiture sans que la police tente de le rattraper. Qui était cet homme ? Et pourquoi la police s'est-elle entêtée à affirmer que le tir venait d'un endroit contredit par les témoins présents sur les lieux ? Agissait-elle sous des ordres venus d'en haut pour permettre à un assassin du gouvernement de s'échapper ? Ou la vérité est-elle encore plus complexe ?

Aujourd'hui, presque toutes les personnes suspectées d'être impliquées dans l'assassinat de Martin Luther King sont décédées. Elles ont sans doute emporté avec elles la clé de l'énigme.

Marilyn Monroe

Sur les centaines d'ouvrages consacrés à Marilyn Monroe depuis sa mort, une cinquantaine environ se concentrent sur la dernière semaine de sa vie, et sur les nombreuses théories du complot qui tentent d'expliquer sa mort prématurée.

Officiellement, Marilyn s'est suicidée en ingurgitant une forte dose de barbituriques Nembutal et d'hydrates de chloral. Cependant, plusieurs détails étranges remettent en cause cette version. Les témoignages de ceux qui ont découvert le corps situent la mort entre 21 h 30 et 23 h 30. Or, les docteurs et le concierge changèrent subitement d'avis par la suite, revenant sur le déroulement des événements de la soirée sans expliquer la raison de ce changement. Des amis de Monroe furent informés de sa mort à environ une heure du matin. Pourtant, selon les dires des médecins, elle ne serait pas décédée avant 3 h, et la police ne fut appelée qu'après 4 h du matin. Comment expliquer ce décalage ? Pourquoi, aussi, a-t-on permis au concierge de partir pour l'Europe peu de temps après sans l'interroger plus avant ? Les examens médicaux révèlent, quant à eux, un certain nombre d'incohérences. Monroe est censée s'être suicidée en ingérant des drogues, mais aucune trace d'ingestion n'a été relevée. Il aurait donc fallu qu'elle les ingère sous forme de lavement. Étrange façon de se suicider… De plus, le verdict officiel n'exclut pas le fait qu'un certain nombre de personnes souhaitaient de débarrasser d'elle pour une raison ou pour une autre. S'il s'agissait d'un suicide, on peut dire que celui-ci tombait à pic.

Les liaisons de Marilyn avec quelques hommes extrêmement haut placés lui ont peut-être permis d'accéder aux secrets d'État les mieux gardés des États-Unis. Si c'est vrai, impossible de ne pas suspecter la CIA d'être derrière sa mort : il aurait été trop dangereux pour eux de laisser Marilyn en vie si elle avait eu connaissance de certaines opérations secrètes. Bien sûr, le crime aurait été maquillé en suicide pour protéger la CIA. Les Kennedy, une des plus influentes familles de toute l'histoire américaine, ne sont pas non plus exempts de tout soupçon. Plus personne n'ignore désormais qu'elle avait entretenu une liaison avec John F. Kennedy, mais à l'époque le secret était bien gardé. Kennedy aurait dû essuyer un scandale si l'affaire avait été rendue publique ; de plus, il avait confié à Monroe des secrets d'État extrêmement sensibles et, lorsque la liaison prit fin, il craignit sans doute que Marilyn puisse révéler ses indiscrétions politiques autant que maritales. De nombreuses personnes sont convaincues que la famille Kennedy, rendue insoupçonnable par sa réputation d'intégrité et l'efficacité de son combat contre le crime, a tué ou fait tuer Monroe pour l'empêcher de parler. L'hypothèse est notamment étayée par le fait que Robert Kennedy, le frère de John, aurait été aperçu près de la maison de Monroe le soir de sa mort, bien qu'il ait fermement démenti que lui-même ou sa famille puissent être impliqués.

Certaines rumeurs prétendent que Marilyn avait eu vent de liens entre Frank Sinatra et la mafia. Si c'est le cas, la mafia fait aussi partie des suspects. Même si la méthode d'exécution semble inhabituelle pour un tueur à gages, rien n'empêche qu'il s'agisse d'une ruse pour éviter que le rapprochement soit fait avec la mafia. Enfin, il a aussi été avancé que Monroe aurait été tuée par les personnes chargées de s'occuper d'elle pour mettre la main sur ses richesses – ce qui expliquerait le départ précipité de sa femme de chambre et la réticence des médecins à divulguer leurs informations.

Ou bien, Marilyn a-t-elle été tuée par des extraterrestres après avoir découvert que JFK faisait partie d'une organisation internationale de francs-maçons ayant pour objectif de dominer le monde ? On ne connaîtra sans doute jamais le fin mot de l'histoire.

Michael Jackson

L'annonce de la mort de Michael Jackson, officiellement décédé d'un arrêt cardiaque le 25 juin 2009, déclencha immédiatement les spéculations sur les circonstances de l'événement. Que s'est-il passé ce jour-là dans sa demeure de Beverley Hills puis au centre médical UCLA où il fut transporté ? Jackson a-t-il simulé sa propre mort ? Était-il décédé depuis longtemps déjà ? A-t-il été assassiné ?

Beaucoup pensent qu'il est encore vivant. En effet, la situation financière du roi de la pop était désastreuse : malgré ses 61 millions d'albums vendus aux États-Unis seulement, le chanteur avait accumulé plus de 400 millions de dollars de dettes au moment de l'annonce de sa mort.

Bien avant que les accusations de pédophilie ne viennent entacher sa réputation et sa carrière, Michael Jackson s'était déjà laissé submerger par les dépenses (le ranch de Neverland lui aurait coûté environ 14,6 millions de dollars). Par la suite, il dut dépenser des sommes exorbitantes pour assurer sa défense légale et régler les accords à l'amiable. Forcé d'emprunter de l'argent, Jackson contracta d'abord des prêts en banque mais se tourna ensuite vers des créanciers moins scrupuleux.

Le fait de simuler sa propre mort lui aurait permis de se débarrasser de ses dettes tout en continuant de toucher les droits sur ses disques (dont les ventes s'envolèrent après l'annonce de sa mort) et sur d'autres œuvres qu'il avait achetées, dont le très lucratif catalogue des premières chansons des Beatles.

Sa fausse mort lui aurait aussi permis d'échapper à une tournée britannique qui promettait d'être catastrophique ; Jackson avait 50 dates prévues dans tout le Royaume-Uni, et semblait physiquement incapable de tenir le coup. Voir Michael Jackson chanter en playback, incapable de danser, voire obligé d'annuler des concerts aurait déçu les fans et sans doute marqué la fin de sa carrière.

Si le changement d'apparence de Michael Jackson au fil des années est incontestable, l'accélération de la mutation durant ces dix dernières années coïncide étrangement avec le moment où les rumeurs d'un complot ont commencé à émerger. Jackson aurait été remplacé par un sosie en stade terminal de maladie, à qui on aurait promis en retour de prendre soin de sa famille. D'innombrables photos et vidéos amateurs montrant le chanteur apparemment bien vivant ont récemment fait leur apparition.

La décision du clan Jackson de ne pas permettre au public de rendre un dernier hommage au corps au ranch de Neverland ne fait que renforcer l'idée que Jackson a mis en scène sa propre mort pour pouvoir refaire sa vie à l'abri des regards et de l'énorme pression à laquelle il était soumis.

Certains, en revanche, sont loin de croire que Jackson coule des jours heureux en compagnie d'Elvis quelque part sur une île paradisiaque… La mort du chanteur remonterait en fait à plus de vingt ans, avant même la sortie de l'album *Bad*. Son corps aurait été découvert reposant avec sa maquette de voie ferrée dans une tombe peu profonde à Neverland. Il portait un seul gant et une veste en cuir rouge, ce qui permit aux autorités de deviner l'identité du cadavre.

Une autre théorie avance que le chanteur était devenu accro aux puissants anesthésiants qu'il utilisait pour traiter son insomnie chronique. Rendu vulnérable par sa dépendance aux drogues et par ses lourdes dettes, Jackson tomba aux mains d'un syndicat secret qui serait lié, selon différentes sources, à la Russie, la Chine et même la CIA. Pour se libérer de cette emprise, Jackson et sa famille auraient menacé de révéler l'affaire au grand jour et l'organisation, acculée dans une impasse, n'aurait eu d'autre choix que de tuer la poule aux œufs d'or…

Une autre version des événements affirme que c'est le président iranien Mahmoud Ahmadinejad qui aurait fait éliminer Jackson. Son but ? Détourner l'attention des médias occidentaux du chaos post-électoral en Iran. Que ne ferait-on pas pour la politique !

MK-Ultra

MK-Ultra serait le nom de code d'un programme de manipulation mentale mis au point par la CIA. Il aurait été lancé au début des années 1950 et se baserait sur les travaux de scientifiques nazis dont les États-Unis se seraient secrètement emparés après la Seconde Guerre mondiale ; il serait depuis testé sur des citoyens ne soupçonnant rien du programme.

Le programme MK-Ultra aurait été établi par la CIA en 1953 en réponse à l'utilisation de techniques de contrôle mental par les Chinois, Nord-Coréens et Soviétiques sur des prisonniers américains. Le gouvernement américain souhaitait également explorer l'éventualité d'un système de manipulation mentale des dirigeants étrangers – Fidel Castro aurait été l'un des premiers visés.

Les connaissances scientifiques nécessaires au projet auraient été recueillies par des spécialistes nazis de la torture et du lavage de cerveau, documents qui auraient été secrètement transférés aux États-Unis après les procès de Nuremberg de 1945. Ces travaux comprenaient des études poussées sur la modification du comportement individuel et les méthodes de questionnement. Le projet reçut les noms de couverture Projet Bavardage et Projet Artichaut avant de recevoir son nom définitif : le MK-Ultra. Il s'agit d'une contraction du terme utilisé par la CIA pour décrire la classification des services les plus secrets de la Seconde Guerre mondiale (Ultra) et le sigle utilisé par la division des services techniques de l'agence (MK).

C'est principalement grâce à l'administration forcée de drogues que la CIA espérait pouvoir contrôler ses prisonniers. Le LSD fut l'une des premières drogues plébiscitées. Il fut d'abord administré à des soi-disant volontaires avant d'être testé sur des cobayes ignorant tout de la situation. La CIA fit par la suite usage d'héroïne, de morphine, de benzodiazépine, de mescaline et de marijuana. L'hypnose fut également utilisée comme moyen de contrôle.

Tout au long des années 1950, 1960 et 1970, les soldats firent l'objet d'expériences massives consistant à leur faire ingérer des drogues afin de les transformer en véritables machines à tuer et à les rendre résistants à la torture et aux interrogatoires. Des rumeurs courent que la CIA aurait réussi à produire des assassins pouvant être plongés à volonté dans un état de transe hypnotique qui les poussait à exécuter la volonté de leurs maîtres en leur ôtant tout souvenir de leurs actes. Est-ce de cette manière que la CIA s'est débarrassée de John F. Kennedy et de son frère Robert ?

Le projet MK-Ultra fut révélé pour la première fois par le Congrès américain suite aux enquêtes menées par la Commission Church, un organisme chargé de contrôler les agissements des services de sécurité, et la Commission Rockfeller, qui supervise les activités de la CIA. L'enquête, cependant, ne révéla pas grand-chose des détails du programme puisque la CIA, craignant de voir ses activités révélées au grand jour, aurait détruit tous les dossiers relatifs au programme en 1973.

Le projet aurait dû en rester là, mais certains pensent que la CIA a continué de développer en secret le programme MK-Ultra. Pourquoi aurait-elle abandonné du jour au lendemain un programme qu'elle avait déjà passé presque trente ans à développer, et qui avait déjà coûté plus de 10 millions de dollars ?

C'est ce même programme, pensent certains, qui serait derrière le suicide collectif de 918 adeptes du Temple du Peuple à Jonestown en 1978. C'est encore MK-Ultra qui aurait poussé John Hinckley à attenter à la vie du président américain Ronald Reagan en 1981 – la CIA n'aurait pas accepté l'idée que l'Amérique puisse être gouvernée par un ancien acteur. Michael Jackson lui-même aurait été l'esclave du MK-Ultra, ce qui expliquerait son problème de dépigmentation et son comportement de plus en plus étrange suite aux expériences successives de la CIA.

Le programme aurait aussi permis à la CIA de contrôler George W. Bush. Son problème d'alcoolisme leur donnait l'excuse parfaite pour tester sur lui leurs techniques de contrôle mental : ses brusques changements d'humeur suite aux expériences pourraient facilement être expliqués par le stress du sevrage. Sa conversion au christianisme, quelque temps plus tard, aurait également fait partie du plan. La CIA a elle-même mené Bush jusqu'à la Maison-Blanche comme un simple pantin. L'influence du MK-Ultra expliquerait ainsi pourquoi Bush a engagé le pays dans deux guerres au cours de son mandat : si les chances de victoire à long terme étaient minces, à court terme, la CIA était quasiment assurée de voir les réserves de pétrole du pays se renflouer très vite…

Navette spatiale Columbia

La navette Columbia de la NASA explosa le 1er février 2003 lors de son retour dans l'orbite terrestre, après une mission spatiale pourtant réussie. Tragique accident ou faille préméditée ?

Bien que la navette se soit écrasée au Texas, c'est le lien potentiel avec le conflit israélo-palestinien au Moyen-Orient qui fit l'objet de tous les débats. Les traînées blanches laissées par la désintégration de l'appareil furent d'abord observées au-dessus de la ville de Palestine, au Texas, où les débris furent retrouvés. L'un des six membres de l'équipage à bord était le colonel Ilan Ramon, le premier astronaute israélien. Ramon était un ancien pilote des forces aériennes israéliennes et avait participé au bombardement du réacteur nucléaire Osirak en Irak en 1981. Le crash de la navette se déroula sur fond de tension militaire, les États-Unis et les forces de la coalition se préparant par avance à la guerre en Irak, tandis qu'au Moyen-Orient l'hostilité allait grandissant contre les États-Unis et les ennemis du monde arabe, Israël en tête. Les Arabes avaient fermement condamné l'occupation de la Cisjordanie par Israël, qu'ils considéraient comme une persécution du peuple palestinien. Le fait que la navette se soit ironiquement écrasée dans une ville nommée Palestine semble une coïncidence un peu trop évidente pour certains…

Pour les partisans des complots anti-sionistes, le doute n'est pas permis : le crash de la navette est une intervention divine, une « punition d'Allah » selon les organisations terroristes palestiniennes. La plupart des personnes soutenant l'idée d'un lien avec l'accident sont des négationnistes de l'Holocauste qui pointent du doigt le fait que les parents du colonel Ramon étaient tous deux des survivants de l'Holocauste et que l'astronaute juif avait emporté avec lui des ouvrages et des objets liés au génocide.

À moins que l'accident n'ait été organisé par le gouvernement américain lui-même, qui aurait sacrifié sa propre navette, un « essai de guerre psychologique » visant à monter l'opinion publique américaine contre l'Irak et le monde arabe en général afin de conditionner les citoyens à soutenir la guerre en Irak. Même sans que le gouvernement fasse explicitement le lien avec le Moyen-Orient, les rumeurs auraient suffi à influencer la population et à faire pencher la balance en faveur d'un conflit controversé. Un plan similaire avait été envisagé dans les années 1960, l'« opération Northwoods ». Le plan émanait du Comité des chefs d'état-major interarmées. Ils prévoyaient d'accuser Cuba si la mission devant faire de John Glenn le premier citoyen américain à aller en orbite autour de la Terre ne se passait pas comme prévu.

Des hypothèses plus farfelues suggèrent que le colonel Ramon effectuait des expériences secrètes à bord de la navette pour le compte de l'Institut de recherches biologiques d'Israël pour pouvoir se défendre contre les armes de destruction potentielles détenues par Saddam Hussein. Ramon aurait utilisé des caméras cachées pour observer la poussière désertique et la direction du vent dans les déserts irakiens. Ces informations devaient aider Israël à pouvoir mieux se défendre contre de futures prochaines attaques.

Or Nazi

Selon le Congrès juif mondial, des dizaines de tonnes d'or volé par les nazis durant la Seconde Guerre mondiale seraient encore conservées à ce jour dans la Réserve fédérale de New York et à la Banque d'Angleterre de Londres. L'organisation va même plus loin en affirmant qu'une partie de l'or serait issue de la fonte des plombages en or des victimes de l'Holocauste.

En soi, l'affirmation fait déjà froid dans le dos. Mais quand, en plus, l'affaire se complique d'une théorie du complot selon laquelle les banques suisses auraient collaboré avec les nazis, le tout devient d'autant plus sinistre. L'hypothèse : les nazis auraient promis à la Suisse de ne pas l'annexer en échange de la protection de leur funeste butin.

Le Congrès juif mondial, en tout cas, prend l'affaire très au sérieux depuis que des informations ont filtré indiquant que les autorités à Zurich avaient dissimulé certains témoignages des victimes de l'Holocauste. Ainsi, non seulement les Suisses auraient collaboré avec les nazis durant la guerre, mais une fois la guerre finie ils auraient également omis de rendre aux nazis le trésor qu'ils étaient chargés de protéger…

L'affirmation est d'autant plus choquante que la Suisse a toujours affirmé être restée neutre durant la guerre. Qu'on imagine un peu l'électrochoc que provoquerait la découverte dans les coffres de la Banque d'Angleterre de six tonnes d'or nazi ! Un document de l'ambassade américaine à Paris stipule que les 8 307 lingots d'or retrouvés dans une mine allemande et acheminés par bateau allié après la guerre auraient pu provenir « de plombages de dents en or ». Même si l'information ne prouve pas d'une façon formelle que l'or nazi détenu dans les banques alliées provenait des dents des Juifs assassinés, le document soulève de sérieuses questions sur sa provenance.

Certains ont aussi avancé que l'or serait en fait lié à la mafia : Charlie Luciano, dit « Lucky », un mafieux américain spécialisé dans le trafic d'alcool illégal et le racket aux jeux d'argent, aurait envoyé Meyer Lansky, son associé, pour prélever une part du butin nazi. Lansky se serait rendu en Suisse où il aurait fait transférer plus de 300 millions de dollars sur des comptes suisses, lesquels auraient ensuite été blanchis en utilisant d'autres comptes avant de revenir aux mains des escrocs. C'est cet argent qui aurait permis à la mafia de s'établir comme la plus puissante organisation criminelle du monde. Même si le scénario du vol puis du blanchiment de l'argent n'a jamais été démontré, il est clair que la mafia ne manque pas de contacts dans les banques suisses, et qu'elle n'aurait aucun mal à mettre en place un plan de cette envergure.

Plusieurs sources issues des services de renseignement américains rapportent que le Vatican a confisqué une quantité d'or nazi d'une valeur de 350 millions de francs suisses, dont 200 millions au moins seraient encore conservés dans les catacombes du Vatican, principalement sous forme de pièces d'or. Le Vatican, bien sûr, nie en force. Il est vrai que si on venait à découvrir que le centre de l'autorité chrétienne détient de l'or souillé du sang de millions de victimes innocentes, le scandale serait sans précédent.

Quant aux banques suisses, elles en furent quittes pour payer une compensation financière de l'ordre de 1,25 milliard de dollars. Cinquante ans trop tard, malheureusement, pour la plupart des survivants de l'Holocauste et leurs familles…

Oracle

Située sur les flancs du mont Parnasse, en Grèce, la ville de Delphes domine les ruines de l'ancien complexe sacré et fut déplacée en 1890 pour laisser place aux fouilles archéologiques. À Delphes, l'Oracle, également appelé Pythie, est synonyme de mystère et de sagesse.

Si l'on en croit le mythe grec, Zeus envoya deux aigles chercher le centre de la Terre, l'un en direction de l'est, l'autre vers l'ouest. Leurs routes se croisèrent à Delphes, indiquant ainsi où se trouvait le centre. Ce « nombril du monde » était jadis marqué à l'entrée du temple par l'« omphalos », une pierre en forme de cône.

En environ 1 500 av. J.-C., les Mycéniens s'installèrent sur le site et continuèrent d'entretenir le sanctuaire dédié à Gaïa, la Terre-Mère. À l'époque, les prophétesses de Delphes avaient déjà gagné une solide réputation dans le pays. Le sanctuaire fut encore prospère durant 500 ans, jusqu'au moment où Apollon descendit du nord pour tuer Python, le serpent monstrueux qui veillait sur le sanctuaire de sa mère. Apollon voulut s'emparer du sanctuaire. Il se débarrassa des sibylles de Gaïa et installa ses propres oracles.

Plusieurs siècles avant la naissance du Christ, de nombreux fidèles faisaient le pèlerinage jusqu'à Delphes afin de demander conseil au célèbre oracle. Les villes considéraient ce pèlerinage comme une priorité absolue et accordaient des aides financières généreuses pour aider les fidèles à s'y rendre. Durant plus de six siècles, jusqu'à ce que le sanctuaire soit détruit par l'empereur romain chrétien Arcadius en 398 av. J.-C., Delphes était le plus grand centre spirituel de l'époque.

Les autres religions y virent-elles une menace ? La société patriarcale de l'époque avait-elle du mal à accepter l'idée d'un culte à une déesse féminine, gardienne de toute sagesse ? Le serpent qui lui était associé fut, pendant des millénaires, extrêmement respecté pour le symbole fort qu'il représentait. Ce sont seulement les religions qui lui succédèrent qui firent du serpent un symbole de tentation et, par conséquent, de du mal – l'épisode du jardin d'Éden en est l'exemple le plus frappant. Cette histoire aurait-elle été inventée pour inciter le peuple à ne pas écouter les conseils des anciennes religions et de ses représentants ? L'hypothèse n'a jamais été démontrée, mais elle semble tout à fait plausible. Le pouvoir et l'influence de l'oracle étaient tels qu'ils auraient certainement été une menace pour les religions à venir.

L'ordre de la Tête de mort

Les prophéties concernant l'avènement d'un ordre nouveau ne se sont, pour l'instant, jamais réalisées. À moins qu'un ordre secret ne se soit emparé du pouvoir sans que le public n'en sache rien ? Des Illuminati aux Bilderberg en passant par les francs-maçons, plusieurs groupes ont été soupçonnés d'être aux commandes des grands bouleversements mondiaux.

L'ordre de la Tête de mort est une société secrète basée à la prestigieuse université de Yale aux États-Unis, et réservée à l'élite masculine de la société. Elle aurait compté parmi ses membres les plus célèbres l'ancien président George W. Bush et son père, George H. W. Bush. Si les activités du groupe n'ont pas été révélées au grand jour, le bruit court que celui-ci organiserait des complots clandestins destinés à refonder l'Ordre mondial et à influencer les grandes personnalités et institutions politiques. D'anciens membres sont d'ailleurs par la suite devenus sénateurs, juges de la Cour suprême ou ambassadeurs. Trois d'entre eux sont même devenus présidents. Parmi les autres célébrités qu'aurait comptées l'ordre de la Tête de mort, on peut citer des membres des influentes familles Rockefeller, Pillsbury et Taft.

À l'origine, la société avait pour but de soutenir ses membres à leur sortie de l'université, de la même façon que les francs-maçons partagent entre eux leurs idées et intérêts financiers pour s'entraider. Les membres de la Tête de mort, en revanche, ont été accusés d'avoir créé un gouvernement secret sous couvert d'opérations de renseignement. Ils auraient parfois agi contre les intérêts du gouvernement tout en utilisant son nom pour mener certaines opérations. Les scandales les plus célèbres de l'histoire américaine portent-ils donc l'empreinte de l'ordre de la Tête de mort ? L'assassinat de JFK, l'affaire du Watergate ou le scandale Iran-Contra auraient-ils été organisés par la société secrète ? George H. W. Bush, qui faisait partie de l'organisation, travaillait justement pour la CIA à l'époque de l'assassinat de Kennedy et de l'affaire du Watergate. Lorsque la vente illégale d'armes à l'Iran fut révélée par le scandale Iran-Contra, il occupait le poste de vice-président.

L'influence d'anciens membres de cette société secrète sur la vie politique américaine redonne toute son importance aux inquiétudes du président Dwight D. Eisenhower lorsqu'il mettait en garde le gouvernement contre la corruption du pouvoir au sein du complexe militaro-industriel. C'est lui-même qui aurait créé ce « gouvernement secret » sous couvert d'opérations de renseignement. Le but initial du groupe était de mener des activités secrètes pour défendre la « sécurité nationale ». Eisenhower nomma un certain Gordon Gray responsable du camouflage de ces activités. Quelques années plus tard, C. Bowden, le fils de Gray, fut nommé conseiller à la Maison-Blanche sous l'administration H. W. Bush, avec pour mission de « protéger le président quoi qu'il arrive ». Son objectif était de s'assurer que Bush ne serait impliqué dans aucune des activités du groupe, au cas où celles-ci seraient révélées au grand jour. Sous couvert de lutter contre la drogue, le groupe se serait ainsi livré au trafic de drogues et aurait aussi financé le régime communiste et celui d'Hitler.

Fait troublant, lors les élections américaines de 2004, les deux candidats majoritaires, George W. Bush et John Kerry, étaient tous deux d'anciens membres de l'ordre de la Tête de mort. Ils auraient agi sous les ordres des dirigeants de la société, ce qui permettait à l'ordre de s'assurer la mainmise sur le centre du pouvoir durant les quatre années suivantes, quelle que soit l'issue des élections. De plus, Teresa, la femme de John Kerry, avait précédemment été mariée à John Heinz, un autre ancien membre de l'ordre de la Tête de mort de Yale. Heinz était ouvertement libéral, et ne se privait pas pour exprimer des opinions contraires à celles du gouvernement. Il avait fait même partie de la commission chargée d'enquêter sur le scandale Iran-Contra aux côtés de John Tower. Ils découvrirent une multitude de documents classés prouvant l'implication directe de la CIA dans des activités illégales lorsque George H. W. Bush était à sa tête. Étrangement, Heinz et Tower périrent tous deux dans un mystérieux accident d'avion en 1991, à quelques jours d'intervalle seulement.

L'ordre de la Tête de mort contrôle-t-il la Maison-Blanche depuis des décennies sans que personne n'en sache rien ? Le président agit-il sous leurs ordres ? Il est rassurant de constater que, si c'est le cas, leur influence semble s'être réduite depuis l'arrivée au pouvoir de Barack Obama. Cela dit, plusieurs de ses proches conseillers sont d'anciens membres de l'ordre. Et ils ne sont sûrement pas prêts à laisser le pouvoir leur filer entre les doigts…

Ouragan Katrina

Le 29 août 2005, la Louisiane était frappée de plein fouet par l'ouragan Katrina, l'une des plus violentes tempêtes jamais connues aux États-Unis. La ville fut noyée sous les flots, la force du front météorologique coûtant la vie à quelque 1 800 personnes et causant plus de 81 millions de dollars de dommages. Mais s'agit-il réellement d'une catastrophe naturelle ?

Selon certains, les dégâts auraient été orchestrés par l'homme, et certains des 53 barrages qui furent dévastés par la force des eaux auraient préalablement été affaiblis par des explosifs placés stratégiquement.

Les terroristes islamistes ont notamment été pointés du doigt. L'explosion de barrages vitaux a-t-il constitué un acte de représailles contre la « guerre contre la terreur » menée par les États-Unis, et les années d'abus de pouvoir subi par le Moyen-Orient durant la seconde moitié du vingtième siècle ? Si c'est le cas, l'opération a réussi au-delà de toute espérance : l'inondation a eu des conséquences dévastatrices pour les États-Unis, et a déstabilisé le noyau dur de l'administration Bush.

L'effondrement des barrages a-t-il été orchestré au sein d'une alliance secrète entre les dirigeants du gouvernement américain afin de faire monter les prix du pétrole ? L'ouragan

Katrina a paralysé la production intérieure de pétrole et de gaz bruts dans une grande partie de la Louisiane ? Certaines zones ont dû être évacuées, permettant ainsi au prix du pétrole de s'envoler. Les liens étroits entre le président Bush et l'industrie pétrolière sont-ils à mettre en cause ?

Selon d'autres sources, le gouvernement américain aurait amplifié la force de l'ouragan à l'aide d'une technologie secrète de modification de contrôle climatique, développée en collaboration avec les Russes. Le but aurait été de détourner l'attention des citoyens des fraudes et de la corruption qui commençaient à entacher la réputation de l'administration Bush, et auraient pu coûter sa place au président.

Ou bien, s'agissait-il pour Bush de renforcer le contrôle quasi martial qu'il exerçait sur le pays jusqu'à obtenir les pleins pouvoirs sur les politiques intérieures et étrangères du pays ? En tout cas, cela expliquerait pourquoi le président a mis tant de temps avant de mobiliser les secours : la panique générale lui permettait ainsi d'imposer des mesures plus drastiques sans rencontrer de protestation – et le noyau dur de l'administration en sortirait renforcé.

Autre hypothèse : l'ouragan Katrina ne serait pas le produit d'une sombre conspiration, mais un châtiment divin infligé à la Nouvelle-Orléans en représailles contre le péché ambiant… Les commentateurs religieux ont justifié la catastrophe, digne d'un épisode biblique, par la criminalité galopante de la Nouvelle-Orléans et son attitude libérale concernant l'avortement et l'homosexualité, auxquelles vient s'ajouter un passé entaché de sorcellerie. Pour eux, Dieu aurait voulu punir l'immoralité et la dépravation ambiantes de la ville.

Le maire de la Nouvelle-Orléans aurait ainsi déclaré que « Dieu [était] furieux contre l'Amérique ». Une opinion partagée par le croyant conservateur Bill Shanks : « La Nouvelle-Orléans est enfin débarrassée de l'avortement, du mardi gras, de la sorcellerie et du paganisme. Dieu a purgé la ville, et maintenant nous allons pouvoir reprendre les choses de zéro. »

Pape Jean-Paul Ier

Après seulement 33 jours de pontificat, le pape Jean-Paul Ier disparaissait brusquement dans des circonstances mystérieuses. Qui aurait pu lui en vouloir ?

Pour mieux comprendre les circonstances de sa mort, il faut d'abord se souvenir des troubles qui ont agité l'Église catholique au dix-neuvième siècle lorsqu'elle fut privée de ses pouvoirs par la révolution nationale italienne de 1848. Le pape Pie IX, qui était alors au pouvoir, compensa la perte de ses terres et de son influence en ordonnant au conseil du Vatican d'adopter une doctrine d'infaillibilité papale. C'est grâce à cette doctrine qu'il put contrôler les finances de l'Église catholique et de la ville du Vatican en prenant soin, bien sûr, de placer son Église et lui-même au-dessus des lois. S'étant ainsi arrangé pour ne payer aucun impôt, il put réinvestir l'argent dans des manœuvres plus ou moins louches en Italie et au-delà des frontières. Si les figures conservatrices de l'Église se réjouissaient, les factions les plus libérales, elles, étaient horrifiées par la situation.

Pendant plusieurs règnes successifs, conservateurs et réformateurs se trouvèrent dans une impasse. Certains souhaitaient réformer la hiérarchie du Vatican, d'autres au contraire se raccrochaient désespérément au statut intouchable de ce qu'ils considéraient comme les jours glorieux de la liberté papale.

Avec son tempérament modeste et réservé, le pape Jean-Paul Ier semblait être le candidat idéal pour les conservateurs qui pensaient pouvoir le contrôler facilement. Malheureusement pour eux, dès son élection en 1978, le nouveau pape révéla un charisme jusque-là insoupçonné. Il entreprit de révolutionner la papauté en retournant à ses origines spirituelles. Il refusa de prendre part aux rites vides de sens de ses prédécesseurs, et insista pour lire ses propres discours lors des conférences de presse au lieu de lire ceux écrits pour lui par les conservateurs. Les factions conservatrices commencèrent à désespérer, surtout lorsque le pape affirma publiquement être favorable à la contraception. Lorsqu'il entreprit d'examiner les comptes de la banque du Vatican, ce fut la goutte de trop…

Jean-Paul Ier découvrit un réseau de corruption organisé : pots-de-vin, extorsions de fonds, trafics avec la mafia… Le pape fit immédiatement appeler le cardinal Villot, dirigeant de la puissante Curie conservatrice, afin de lui faire part des changements qu'il souhaitait mettre en place. Il prévoyait de forcer plusieurs personnes à « démissionner », dont le chef de la banque du Vatican et plusieurs membres de la Curie dont Villot lui-même. De plus, le pape prévoyait de rencontrer la délégation américaine pour redéfinir la position de l'Église sur la contraception.

Lorsque le pape se retira dans sa chambre au soir du 28 septembre 1978, il avait sur lui les papiers prouvant les transactions du Vatican avec la mafia, et il s'était déjà fait de puissants ennemis. Le lendemain, lorsque sa femme de chambre vint le réveiller, elle n'obtint pas de réponse. Elle revint un peu plus tard pour trouver le pape inanimé assis dans son lit, le visage déformé par une grimace de douleur, tenant toujours les documents compromettants. On retrouva près de lui un flacon de pilules pour la tension artérielle. Le pape avait aussi vomi. Le premier réflexe de la femme de chambre fut d'appeler Villot, qui fit immédiatement venir le docteur. Celui-ci s'empressa de rejoindre le chevet du pape. Il emporta avec lui le flacon de pilules et les précieux documents : ceux-ci ne furent plus jamais retrouvés.

Plusieurs théories viennent s'ajouter aux circonstances déjà mystérieuses de la mort du pape. L'une est que la banque du Vatican, qui possédait des actions à la Banco Ambrosiano, avait perdu près d'un quart de milliard de dollars lors de la banqueroute de celle-ci. Suite à l'incident, la banque du Vatican avait pris contact avec une loge maçonnique peu recommandable, la Propaganda Due. P2, laquelle avait des connexions avec la banque déchue et aurait été impliquée dans un transfert de fonds suspects entre les États-Unis et plusieurs groupes soutenus par la banque dans le monde. Le groupe était extrêmement conservateur, et on imagine facilement qu'il ne souhaitait pas voir ce pape trop libéral découvrir toute l'étendue de ses activités illicites avec la banque du Vatican. Quel meilleur mobile pour décider de l'éliminer ?

Le certificat de décès du pape n'a jamais été rendu public. Villot a fait en sorte que son corps soit embaumé dans les douze heures suivant la mort, alors que la loi italienne requiert un minimum de 24 heures. Il est aussi de coutume pour un embaumement de retirer les organes et le sang du défunt. Le corps du pape, cependant, fut laissé intact. Était-ce pour éviter de révéler qu'on l'avait empoisonné ?

Pape Jean-Paul II

Le 13 mai 1981, le pape Jean-Paul II échappa de justesse à la mort après avoir été la cible d'un coup de feu sur la place Saint-Pierre. Il est communément accepté que la tentative d'assassinat avait été perpétrée par un individu dérangé, Mehmet Ali Agca. Même si les autorités italiennes soupçonnèrent immédiatement un complot de plus grande envergure, leurs doutes ne furent pas vérifiés. La presse occidentale émit l'hypothèse que Mehmet Ali Agca n'était peut-être qu'un pion dans un complot turc de fondamentalistes islamiques d'extrême droite, mais l'affaire en resta là.

Autre suspect potentiel : le KGB soviétique, qui aurait agi par le biais de factions secrètes des régimes communistes de Bulgarie et de la mafia turque. La théorie veut qu'Agca, après s'être échappé d'une prison turque, ait été choisi comme exécuteur d'un complot élaboré et aurait reçu dans ce but un entraînement intensif, en se faisant passer pour un militant de droite afin de brouiller les pistes.

Si le but du complot était uniquement d'assassiner le pape, ce fut un échec. Mais n'y avait-il pas un motif caché derrière l'attentat ? Aurait-il pu s'agir d'une double ruse ? Les communistes auraient très bien pu fomenter le complot pour monter la population contre l'extrême droite et le

« fondamentalisme » religieux, pendant qu'eux-mêmes étaient au-dessus de tout soupçon.

La question se pose de savoir si les activités néo-nazies dont l'Allemagne s'est rendue coupable pendant plus d'un demi-siècle étaient effectivement conduites par des factions d'extrême droite ou si, au contraire, les Soviétiques auraient imposé la croix gammée et encouragé l'homophobie et les préjugés raciaux. Le Parti soviétique aurait laissé échapper certaines informations indiquant que l'un de ses buts originaux était de monter la population contre tout ce qui pouvait se rattacher à la droite politique : les partisans d'Hitler, bien sûr, mais aussi les chrétiens et les libéraux – toute personne, finalement, qui n'adhérait pas aux valeurs communistes.

Parcs à caravanes

Le 29 octobre 1929, l'Amérique essuyait le plus grand krach boursier de toute son histoire. L'économie jusque-là florissante fut soudain plongée dans une crise sans précédent de perte financière et de chômage chronique qui devait mettre de longues années avant de se rétablir. En 1932, Franklin D. Roosevelt fut élu président contre Herbert Hoover et entama la vaste réforme sociale qui devait réhabiliter l'économie des États-Unis et remonter le moral des citoyens. Son programme allait du financement des services publics à la mise en place de la sécurité sociale. L'Amérique sortit peu à peu de la crise et, suite à ce succès, Roosevelt fut réélu trois fois, en 1936 d'abord, puis en 1940 et en 1944. Mais cette grande réforme économique visait-elle seulement le bonheur des citoyens américains ?

Roosevelt devait certainement savoir que l'un des problèmes majeurs du pays était la surpopulation. Bien sûr, il était hors de question de mettre en place un génocide à grande échelle comme l'avaient fait les nazis. Mais pourquoi ne pas éliminer « discrètement » certaines tranches de la population, réduisant ainsi les problèmes sociaux tout en conservant sa popularité auprès de ses électeurs ?

Les partisans de cette théorie avancent que Roosevelt aurait secrètement pris contact avec des architectes et des ingénieurs pour leur demander de réaliser un nouveau modèle de mobile-home, la « caravane résidentielle ». Ces caravanes furent ensuite proposées aux familles les plus pauvres pour leur permettre de vivre dans un relatif confort au sein d'une communauté. Roosevelt fit l'acquisition de terrains dans le Middle West où il fit construire des « parcs à caravanes ».

Ces parcs, cependant, étaient situés dans une région particulièrement exposée aux tornades. Il y avait donc de fortes chances que de nombreuses familles périssent tragiquement dans des « catastrophes naturelles » dont personne ne serait directement responsable. Il est impossible de dire si c'était bien là l'intention de Roosevelt. Le fait est que chaque année, pourtant, les tornades dévastent les parcs à caravanes sur des dizaines de kilomètres, laissant sur leur chemin des centaines de blessés.

Paul McCartney

En 1969, le bruit courut que Paul McCartney était en fait mort depuis trois ans déjà. La rumeur coïncidait avec les soupçons de complot entourant l'assassinat de JFK. Pour les partisans de cette théorie, Paul serait décédé dans un accident d'avion trois ans auparavant, comme l'indiquent les paroles de *A Day in the Life*. La chanson parle d'un homme qui meurt dans un accident de voiture parce qu'il n'a pas remarqué les feux de circulation et, fait plus troublant, d'un groupe de personnes se rassemblant autour du lieu de l'accident parce que le visage de cet homme ne leur est pas inconnu.

Ceux qui pensent que Paul McCartney est mort mettent en évidence certains « indices » disséminés dans les albums des Beatles. Sur la pochette de l'album *Sgt. Pepper's Lonely Hearts Club Band*, le numéro d'immatriculation d'une des voitures à l'arrière-plan indique « 28 IF ». « Si » Paul était vivant (« si » se dit « if » en Anglais), il aurait eu 28 ans à l'époque. Et les vêtements portés par George Harrison font fortement penser à ceux d'un croque-mort. À la fin de la chanson *Strawberry Fields Forever*, John Lennon répète à plusieurs reprises l'expression « cranberry sauce ». Et les partisans de cette théorie s'empressent d'en conclure qu'il s'agit d'une déformation de la phrase « I bury Paul », c'est-à-dire « J'ai enterré Paul ».

Après la disparition de Paul, les Beatles auraient décidé de lui trouver un remplaçant afin de poursuivre leur carrière comme si de rien n'était. Ils auraient engagé un certain Billy Shears, à qui ils auraient fait subir des opérations de chirurgie esthétique pour ressembler à Paul. Pour ne prendre aucun risque, ils auraient aussi décidé de tous se faire pousser la barbe afin que personne ne remarque le changement. Les Beatles sont décidément pleins de ressources.

Paul Wellstone

Le 25 octobre 2002, Paul Wellstone, un sénateur américain progressiste, trouvait la mort dans le crash de son jet privé. Sous l'impact, l'avion avait été réduit en flammes à trois kilomètres seulement de sa destination, dans le Minnesota. Les premiers rapports sur l'accident conclurent à un problème mécanique mais, rapidement, certains commencèrent à soupçonner un assassinat politique. Ce libéral-démocrate s'était ouvertement opposé au projet de George Bush d'entrer en guerre contre l'Irak ; il fut même le seul sénateur à voter contre lui.

L'enquête a révélé que le crash n'avait été provoqué par aucune des causes habituelles d'un tel accident comme un arrêt du moteur, le givrage de l'appareil ou une erreur du pilote. Bien que les conditions météorologiques aient été difficiles, notamment à cause de givre et d'une pluie verglaçante, la visibilité était de trois à quatre kilomètres, ce qui est largement supérieur au minimum requis pour voler. À l'approche de l'aéroport, la piste aurait été parfaitement visible une fois l'avion descendu sous de la couche de nuages la plus basse, à environ 200 m du sol. Et, de toute façon, la localisation précise de l'aéroport était contrôlée automatiquement.

Si Wellstone n'avait été qu'un sénateur sans histoires, le crash de son jet privé serait sans doute resté de l'ordre du fait divers tragique. Une étrange coïncidence semble cependant remettre en cause l'hypothèse du simple accident : deux ans presque jour pour jour après l'événement, le 16 octobre, Mel Carnahan, gouverneur du Missouri, trouva la mort dans des circonstances presque exactement similaires. Lui aussi démocrate, il était justement en pleine campagne pour accéder au Sénat.

Pearl Harbor

L'un des moments clés de la Seconde Guerre mondiale pour les États-Unis fut sans aucun doute l'attaque « surprise » des Japonais sur Pearl Harbor. Sans cette attaque, les États-Unis ne seraient peut-être jamais entrés dans le conflit, et l'issue finale de la guerre aurait pu changer du tout au tout.

L'attaque de Pearl Harbor en décembre 1941 avait-elle réellement frappé par surprise ? Certains éléments tendent à montrer que Franklin D. Roosevelt, le président de l'époque, avait eu connaissance du projet d'attaque et s'était gardé d'intervenir afin de s'en servir comme prétexte pour prendre part à la guerre. Roosevelt, en effet, rencontrait le désaccord de l'opinion publique, à 88 % opposée à l'idée que les États-Unis puissent joindre les Alliés. Ses ambitions guerrières étaient également freinées par sa promesse post-électorale : « Je le dis et je le répète, avait-il alors affirmé : il n'est pas question que j'envoie vos fils se battre dans une guerre étrangère. » Cependant, en privé, Roosevelt avouait espérer que les troupes américaines puissent prendre part à la guerre contre le nazisme.

Durant les mois et mêmes les années qui précédèrent l'attaque de Pearl Harbor, les États-Unis n'avaient eu de cesse de provoquer le Japon en gelant ses actifs, en stoppant ses exportations, en imposant un embargo puis en refusant l'accès du canal de Panamá aux navires japonais. Dans son journal de guerre, le secrétaire à la Guerre Henry Stimson écrit ainsi à la page du 16 octobre 1941 : « En s'assurant que le Japon attaque en premier, et au grand jour, les États-Unis, on évitera l'embarras diplomatique d'avoir frappé en premier. » Un mois plus tard, il écrit : « Toute la question est de savoir comment faire en sorte qu'ils [les Japonais] se retrouvent en position de porter le premier tir. »

Si l'on en croit la théorie du complot, les commandants de Pearl Harbor avaient été tenus à l'écart de renseignements cruciaux collectés à Washington. Ils ignoraient, surtout, que Washington était parvenu à décrypter le code secret diplomatique du Japon, dit « Violet ». Ce code ultra-crypté fut décodé par les services de décryptage de l'armée américaine en 1940, et permit aux États-Unis d'intercepter les communications diplomatiques du Japon. Les commandants de Pearl Harbor, cependant, ne reçurent aucune copie de ces communications, malgré la vulnérabilité évidente de la base et les plaintes des forces armées déployées sur place. Une communication interceptée le 11 novembre avertissait pourtant que « la situation [devenait] critique, et que le temps [commençait] à manquer ».

De même, les États-Unis ont toujours affirmé que lorsque la flotte navale japonaise s'est rapprochée d'Hawaï, son silence radio complet la rendait impossible à détecter. Pourtant, le message suivant, envoyé par l'amiral Yamamoto à la première flotte aérienne japonaise, aurait été intercepté le 26 novembre 1941 : « Le corps expéditionnaire, dont les mouvements sont demeurés dans le secret le plus strict, et qui surveille de près les sous-marins et avions ennemis, s'engagera dans les eaux hawaïennes puis, dès l'ouverture des hostilités, attaquera la force principale de la flotte américaine pour lui infliger un coup fatal. Le premier raid aérien est prévu à l'aube du jour x. La date exacte vous sera communiquée prochainement. » En dépit de ces menaces explicites, la marine américaine n'a pris aucune mesure, ce qui signifie que la chaîne de commandement, qui remonte jusqu'au président lui-même, n'a pas cru bon d'en informer la flotte. Malgré les avertissements d'agents hollandais, coréens et britanniques sur le risque d'une éventuelle attaque, le gouvernement américain a fait montre soit d'une incompétence incroyable, soit d'une omission délibérée.

De plus, il semblerait que tous les navires marchands du Pacifique Ouest aient fait halte le jour même de l'attaque, sans doute pour empêcher que la flotte japonaise puisse être repérée : si l'alarme avait été donnée, Eisenhower aurait pu dire adieu à ses précieux plans de guerre. Il savait que, dès que les Japonais auraient attaqué Pearl Harbor, le peuple américain réclamerait immédiatement vengeance.

La commission chargée d'enquêter sur l'attaque était composée de proches de Roosevelt, qui conclurent que la faute revenait à une « négligence de devoir » des commandants hawaïens – ceux-là mêmes à qui Washington avait omis de transmettre les rapports de renseignements secrets. Pour les véritables coupables, la partie était gagnée : le Japon était devenu l'ennemi n° 1 aux yeux des citoyens américains, et les citoyens américains, furieux contre le Japon, donnèrent enfin leur approbation à l'entrée des États-Unis dans la guerre.

Les persécutions chrétiennes

Les persécutions de chrétiens commencèrent sous le règne de l'empereur romain Néron, qui les déclara responsables du Grand Incendie de Rome en l'an 64. Elles passèrent à la vitesse supérieure à l'arrivée au pouvoir de l'empereur Trajan Dèce, au troisième siècle, qui marqua le début des attaques contre les communautés chrétiennes à travers tout l'Empire romain. Ces persécutions, dont l'intensité avait déjà sensiblement augmenté, atteignirent leur apogée sous les règnes de Dioclétien à l'est et de Maximien à l'ouest – marquant le début d'une sanglante chasse aux chrétiens dans tout l'Empire. Bien que les historiens s'accordent à dire que le génocide était surtout dû à une méconnaissance de la religion chrétienne, certains chercheurs avancent l'hypothèse que les persécutions ont pu avoir un but plus terre-à-terre.

À la fin du troisième siècle, le pouvoir politique de Rome était mis à rude épreuve par la constante menace des nations ennemies, et il devenait urgent de rendre les propres sujets de Rome plus dociles. Les autorités romaines eurent donc l'idée d'organiser des distractions pour distraire la populace, et organisèrent des divertissements publics sanglants en se servant d'abord des esclaves disponibles. Mais, au cours du troisième siècle, les esclaves romains commencèrent à se révolter contre le sort violent qui leur était souvent réservé, au grand dam des empereurs qui voyaient leur distraction principale leur échapper. La populace romaine, en mal de divertissement, commença à déverser sa violence dans les rues de Rome. Pour calmer ses citoyens mécontents, Rome décida alors de sacrifier les chrétiens – qui comptaient énormément de représentants dans la ville – pour amuser son peuple. De plus, les malheureux chrétiens brûlés vifs permettaient accessoirement d'éclairer les rues de Rome, apportant chaleur et sécurité à la ville... Le spectacle des chrétiens sacrifiés parvint si bien à contenter la populace que cette pratique fut perpétrée pendant la majeure partie du troisième siècle. Ce n'est que sous le règne de l'empereur Constantin Ier que la religion chrétienne fut rendue légale et qu'il fut mis un terme aux persécutions.

Peste noire

La peste noire a fait environ 75 millions de victimes dans le monde, dont environ 25 à 50 millions d'Européens – soit 30 à 60 % de la population européenne. On pense que la maladie s'est d'abord développée en Asie avant de gagner l'Europe durant le quatorzième siècle. En fait d'épidémie naturelle, se pourrait-il que la peste noire ait été volontairement propagée par des ennemis de l'Occident ?

À la fin du premier millénaire, la civilisation occidentale décida d'aller explorer le monde au-delà des frontières connues. Les explorateurs découvrirent alors de nouvelles civilisations qui, en plus d'être prospères, étaient volontiers prêtes à commercer. Malheureusement, au bout de quelques siècles, les relations commencèrent à se dégrader. Plusieurs pays d'Orient avaient l'impression d'être exploités par l'Occident, et leur mécontentement allait grandissant.

Si l'on en croit l'hypothèse du complot, les souverains indiens mirent au point un plan dont l'objectif n'était rien moins que d'exterminer toutes les nations occidentales. Ils firent clandestinement transporter des rats infectés par une peste locale sur les navires commerçants à destination de l'Europe. Si tout se passait comme prévu, les rats se disperseraient dans les villes portuaires de la Méditerranée et les Européens, n'ayant pas développé de résistance à la maladie, seraient décimés un par un, laissant alors le champ libre aux Indiens. Le temps d'envoyer une armée indienne jusqu'en Occident, la peste se serait propagée à travers tout le continent, éliminant la majeure partie de la population. Ainsi affaiblie par la peste, l'Europe n'opposerait aucune résistance, et les Indiens pourraient annexer sans effort de nouveaux territoires pour étendre leur royaume.

Si, effectivement, les Indiens avaient prévu de dévaster toute l'Europe en répandant la peste pour décimer les populations, leur plan a réussi au-delà de toute espérance… Mais alors, pourquoi l'armée indienne n'est-elle jamais venue ?

Pic pétrolier

Le terme « pic pétrolier » fait référence au moment où la production de pétrole dans le monde atteint son niveau maximum, après quoi les taux d'extraction déclinent jusqu'à épuisement des ressources. Le concept a été remis en cause par certains, qui soupçonnent un groupe d'élites politiques, de dirigeants et de personnalités de l'industrie pétrolière d'avoir mis au point cette thèse dans le but de faire croire que les réserves de pétrole étaient limitées et de pouvoir augmenter leurs tarifs en conséquence.

Plusieurs points, en effet, viendraient contredire la véracité du concept de pic pétrolier. Certaines études scientifiques auraient démontré que le pétrole est une ressource inépuisable. La théorie du complot est également étayée par certains mémos confidentiels de sociétés pétrolières, ainsi que par des incohérences relevées dans les données des principaux sites de production. Les acteurs de l'industrie pétrolière se seraient réunis en un puissant groupe afin de maintenir leur mainmise sur le peuple, rendu dépendant du pétrole, et de pouvoir ainsi continuer à se remplir les poches tranquillement.

Que penser, alors, des preuves scientifiques avancées par ceux qui défendent la théorie du complot, et qui semblent prouver que le pétrole est une ressource abiotique renouvelable et non une ressource épuisable issue de la décomposition de matières biologiques ? Si les réserves de la planète pouvaient effectivement se renouveler d'elles-mêmes, nul doute que le pouvoir – et le capital – des grands pays producteurs de pétrole et de leurs industries se verrait sérieusement diminué. Et la tentation serait grande pour eux de vouloir protéger leurs intérêts, quitte à inventer de toutes pièces le principe du pic pétrolier.

Les étonnantes fluctuations de production du puits de pétrole Eugene Island 330, dans le golfe du Mexique, par exemple, soulèvent des interrogations : le site, découvert en 1973, produisait à l'origine 15 000 barils par jour avant que la production ne tombe à 4 000 barils en 1989. Cependant, un peu plus tard, le rendement remonta de nouveau jusqu'à 13 000 barils par jour. Que penser de ce changement soudain de la production ? Doit-on en conclure que les réserves du puits se sont renouvelées d'elles-mêmes, ce qui contredirait la théorie du pic pétrolier soutenue par l'OPEP et le FMI, et par d'innombrables gouvernements et conglomérats pétroliers ?

Les compagnies pétrolières seraient elles-mêmes au courant de la supercherie. Certains, en effet, affirment avoir découvert des notes émanant de Mobil, Chevron et Texaco mentionnant plusieurs stratégies visant à donner l'impression que les réserves étaient limitées pour pouvoir augmenter les prix. Un mémo de la compagnie Chevron qui aurait circulé en interne conseillait de diminuer le volume d'extraction du pétrole afin de ne pas faire diminuer les marges de profit.

La guerre contre l'Irak, on le sait, fut accusée d'avoir été motivée par l'appât des réserves de pétrole du pays. Le gouvernement, mené par Bush et de proches personnalités de l'industrie pétrolière, ont-ils vu là l'occasion de mettre la main sur des réserves supplémentaires afin de contrôler un peu plus une société à la merci de la production pétrolière ? Est-ce pour cette raison que l'administration Bush a fait tant d'efforts pour empêcher le développement de carburants alternatifs ?

Bien sûr, les compagnies pétrolières et les grandes organisations mondiales et gouvernementales ont largement réfuté ces théories. Mais la découverte d'immenses réserves de pétrole par British Petroleum (BP) dans le golfe du Mexique en septembre 2009, quelques jours après que l'Iran eut lui-même annoncé avoir découvert l'équivalent de 8,8 millions de barils, fait sérieusement douter du fait que les réserves soient presque à sec. Des puits supplémentaires ont même été découverts récemment en Ouganda, dans l'ouest du Groenland et au Brésil. Face à tous ces éléments, peut-on encore croire au concept de pic pétrolier ?

Piet Mondrian

Le peintre Piet Mondrian fut, avec Theo van Doesburg, l'un des principaux précurseurs du mouvement artistique De Stijl, apparu aux Pays-Bas.

Le style de Mondrian présente des lignes et des blocs de couleur soigneusement disposés censés représenter les éléments universels les plus fondamentaux du monde visuel. Ces motifs contiennent eux-mêmes des motifs plus petits, à peine perceptibles à l'œil nu mais qui influencent néanmoins la perception visuelle du spectateur. On distingue par exemple des ronds gris à l'intersection des lignes noires. Celles-ci, juxtaposées à un fond blanc et des blocs de couleur primaire, créent l'illusion d'une peinture en trois dimensions et donnent l'impression d'avancer d'avant en arrière dans l'espace. Certains spectateurs ont aussi remarqué que les lignes s'arrêtent juste avant le bord de la toile. Ces illusions d'optique auraient été créées par Mondrian dans le but de donner au spectateur une sensation de paix et d'harmonie.

L'une des grandes idées du mouvement De Stijl était de tenter de représenter une utopie idéale. Jusque-là, le concept, purement philanthropique, paraît sans danger. Mais si les peintres avaient effectivement le pouvoir d'influencer les esprits en faisant passer des messages subliminaux à travers leurs toiles, qui dit qu'ils ne s'en sont pas servis dans un but plus malsain ? Mondrian souhaitait-il programmer les spectateurs à recevoir sans broncher les messages du Nouvel Ordre mondial, qui se servirait d'images harmonieuses pour apaiser les esprits et créer des citoyens dociles ? Prévoyait-il de réduire en esclavage des milliers de citoyens ?

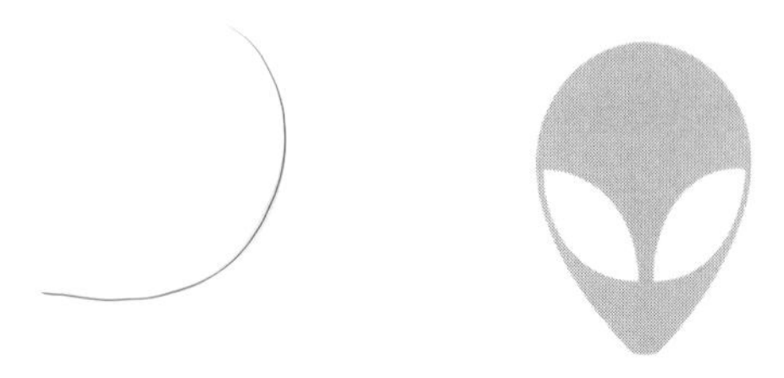

Les Protocoles des Sages de Sion

Les *Protocoles des Sages de Sion* est un document apparu à la fin du dix-neuvième siècle censé retranscrire les minutes d'une réunion de leaders juifs lors du congrès inaugural sioniste à Bâle, en Suisse, en 1897. Il est régulièrement utilisé, à tort, comme preuve que les Juifs prévoient de conquérir le monde.

Ce manifeste prônant l'oppression et la manipulation du peuple contiendrait des instructions indiquant comment détourner finance, guerre et religion afin de les utiliser comme instruments de contrôle, comment manipuler et éliminer des pans de population, comment imposer l'autorité par la force et faire emprisonner ses opposants. Certains se sont servis de ces écrits pour dénoncer un soi-disant complot juif visant à imposer une autocratie sur l'ensemble de la planète.

L'authenticité des *Protocoles des Sages de Sion* a cependant été largement contestée. Il est désormais quasi unanimement accepté qu'il s'agit d'un faux document antisémite inspiré d'une satire de Machiavel datant du milieu du dix-neuvième siècle, qui présentait sous la même forme les ambitions impérialistes de Napoléon III. Les *Protocoles* seraient en fait le même document, dans lequel on se serait contenté de remplacer le nom de Napoléon par le judaïsme.

Ces documents apparurent pour la première fois en Russie au début du vingtième siècle. Ils furent publiés sous différents formats dans les dix années qui suivirent, la diffusion étant encouragée par une croyance de plus en plus tenace que les Juifs étaient responsables des difficultés intérieures et étrangères du pays, en particulier la défaite de la guerre russo-japonaise en 1905.

La version anglaise des *Protocoles* apparut aux États-Unis et en Europe dans les années 1920 et fut publiée en tirages de plus en plus fréquents jusque dans les années 1930, ce qui semble indiquer qu'il s'agit bien d'un canular raciste. Tandis que l'Europe peinait à se reconstruire après la Seconde Guerre mondiale, les États-Unis tombaient eux aussi peu à peu dans la dépression économique : pour les antisémites, c'était le moment idéal pour accuser la population juive d'être responsable de la situation.

La frustration et la colère ont-elles poussé les masses les plus défavorisées à se venger en écrivant les *Protocoles* ? Il est révélateur de préciser que le document a ensuite été utilisé comme propagande par Hitler et le parti nazi afin de justifier la persécution des Juifs, d'abord en Allemagne puis dans tout le reste de l'Europe.

L'authenticité du document semble encore plus douteuse lorsqu'on sait que les grandes lignes des *Protocoles* ont été reprises dans d'autres soi-disant complots de domination impliquant les Illuminati, les francs-maçons ou même les extraterrestres ! Malgré l'évidence de la supercherie, certains continuent d'affirmer que les *Protocoles des Sages de Sion* constituent la preuve que les Juifs prévoyaient de s'emparer du monde.

Publicités subliminales

La présence de messages subliminaux dans la publicité reste encore sujet à débats entre universitaires, entreprises publicitaires et monde des affaires en général. Le public, lui, reste laissé pour compte. Qui croire, alors ? Comment savoir à qui faire confiance ? Difficile de trancher quand publicitaires et chercheurs s'insultent mutuellement et que chacun clame haut et fort détenir la vérité....

La plupart des théories du complot sont liées de près ou de loin aux événements politiques, qu'elles émanent de partisans d'une certaine branche politique ou d'individus neutres cherchant simplement à comprendre la vérité. George Bush fut notamment accusé d'avoir diffusé des messages subliminaux lors de sa campagne électorale en Floride en l'an 2000. Un clip républicain critiquant l'initiative du candidat démocrate Al Gore concernant les ordonnances de médicaments laisse brièvement apparaître le mot « RATS » sur l'écran (une insulte équivalant à « traître », en Anglais), juste par-dessus les mots « Le plan d'ordonnance Gore ». Les lettres de « RATS » sont ensuite intégrées au message suivant, « Bureaucrats decide », soit « Les bureaucrates ont le pouvoir ».

La course aux élections de 2000 s'étant déroulée dans un climat plus que houleux, particulièrement en Floride, l'équipe de campagne de Bush ne tarda pas à avoir recours à des procédés douteux. « Je n'ai jamais rien vu de pareil », affirma Al Gore au sujet de la campagne de Bush. « Les faits parlent d'eux-mêmes. » Lorsqu'un journaliste lui demanda qui il pensait être responsable d'avoir inséré le message « RATS », il répondit que l'identité du coupable était « évidente ». Ce clip fut diffusé 4400 fois sur 33 marchés télévisuels à travers les États-Unis.

Les messages subliminaux concernent généralement des tabous de la société : selon le Dr Wilson Bryan Key, les entreprises publicitaires utilisent des références au sexe, à la mort, l'inceste, l'homosexualité ou aux symboles païens pour transmettre des messages au téléspectateur sans même que ce dernier s'en rende compte. Mis devant le fait accompli, les publicitaires se sont défendus en évoquant une simple coïncidence, une erreur, ou l'initiative personnelle d'artistes un peu trop zélés. Pourtant, Key a découvert lors de ses recherches que les agences publicitaires dépensent chaque année des milliers de dollars pour consacrer des centaines d'heures à la conception de publicités parfaitement ciblées, utilisant symboles de mort, images d'animaux, de visages déformés ou même de gratification sexuelle pour toucher le public recherché.

La loi, malheureusement, ne prévoit aucune sanction pour empêcher les agences publicitaires de recourir aux messages subliminaux. La situation est d'autant plus inquiétante qu'il nous est impossible de savoir jusqu'à quel point nous sommes manipulés par la publicité. Serions-nous déjà ses esclaves sans même nous en rendre compte ?

Qui a tué la voiture électrique ?

Vers le milieu des années 90, plusieurs grands noms de la fabrication automobile lancèrent une alternative viable aux véhicules alimentés au gaz ou au pétrole : la voiture électrique. Dix ans plus tard, ce véhicule révolutionnaire avait déjà disparu du paysage. Qui a tué la voiture électrique ?

En 1996, le fabricant de voitures américain General Motors présentait sa voiture électrique EV1. Une innovation qui devait mettre fin aux inquiétudes sur la diminution des réserves de pétrole et l'impact du réchauffement climatique. D'autres modèles furent bientôt lancés à grand renfort de publicité, dont la Toyota RAV4 et la Honda EV.

L'apparition de la voiture électrique avait été motivée par la publication d'un mandat sur les véhicules propres par le Comité californien des ressources aérienne (CARB) en 1990, afin de réduire la pollution de l'air dans les zones urbaines centrales de la Californie. Les voitures électriques furent lancées sur le marché en grande pompe, recevant même le soutien de célébrités de l'époque. Pourtant, à l'aube du 21e siècle, leur déclin s'était déjà amorcé. Dix ans plus tard, elles avaient quasiment disparu de nos routes.

Beaucoup pensent que la mort de la voiture électrique a été précipitée par les grandes compagnies pétrolières. L'apparition d'un véhicule alimenté sans pétrole était une grave menace pour leurs revenus, leur faisant risquer des pertes se chiffrant en milliards de dollars. Les titans de l'industrie auraient alors tout mis en œuvre pour étouffer dans l'œuf cette nouvelle technologie concurrente, n'hésitant pas à faire jouer leurs relations au sein de l'administration Bush.

Comment expliquer, sinon, que le gouvernement américain ait fait abroger la loi du comité CARB sur les véhicules propres ? Les lobbyistes de l'industrie pétrolière ne reculèrent devant rien pour donner une mauvaise publicité à la voiture électrique, diffusant entre autres des communiqués alarmants sur le coût financier de stations de recharge électrique en bordure des routes. Mais que pouvait-on attendre d'autre de la part d'industries pour lesquelles la voiture électrique sonnait la fin de leurs profits ?

Une autre hypothèse possible est que c'est l'industrie automobile elle-même qui aurait saboté le lancement de la voiture électrique. Les campagnes de promotion de la voiture étaient étrangement discrètes et, dans l'ensemble, peu convaincantes. Quant aux vendeurs, ils semblaient bien peu décidés à faire des ventes. Et pourquoi les articles de presse relayant les améliorations de vitesse et l'extension de la gamme des véhicules ont-ils été supprimés ?

À moins que le développement de la voiture électrique n'ait été qu'une vaste supercherie destinée à empêcher le développement des véhicules propres avant même leur arrivée sur le marché. Les partisans de cette théorie affirment que le gouvernement américain, l'industrie pétrolière et les fabricants de voiture se sont mis d'accord pour créer un véhicule qui ne convaincrait pas les automobilistes. Cela expliquerait la faible autonomie des batteries, la vitesse peu performante des voitures et une campagne de promotion peu convaincante. Le gouvernement essayait-il par là de saboter le marché des voitures propres pour faire place au développement de véhicules plus gros et plus rentables ?

Une question reste cependant en suspens. Si c'est le gouvernement Bush qui est responsable du mauvais lancement de la voiture électrique, pourquoi celle-ci n'est-elle pas réapparue depuis l'arrivée au pouvoir d'Obama ? Serait-ce parce que le président iranien Ahmadinejad travaille main dans la main avec des ténors de l'industrie pétrolière, des fabricants de voitures frappés de plein fouet par la récession et des politiciens prêts à tout pour conserver les profits liés au pétrole au détriment des énergies propres ?

Récession économique mondiale

À peine entré dans le 21e siècle, le monde était confronté à une crise économique d'une ampleur spectaculaire. Les grands pays industrialisés ont été touchés de plein fouet, endurant la pire baisse économique depuis des générations, et même les pays en voie de développement n'ont pas été épargnés. Mais comment, ou par qui, la crise est-elle arrivée ?

Les conséquences furent si désastreuses qu'on crut presque que le capitalisme allait s'écrouler. Le secteur bancaire fut frappé en plein cœur et le commerce international réduit à néant tandis que les prix des produits quotidiens s'effondraient et le taux de chômage explosait. Les prêts d'hypothèses disproportionnés accordés aux États-Unis ont été montrés du doigt, mais la crise aurait-t-elle été programmée en amont ?

Selon une certaine théorie, les responsables du désastre financier seraient une cabale clandestine composée des personnes les plus riches de la terre : politiciens au pouvoir, élites économiques et puissants aristocrates. Leur but ? Prendre le contrôle de la planète.

Les activités supposées de ce groupe, baptisé Nouvel Ordre mondial, et dont l'objectif est de créer un gouvernement unique fasciste, intriguent depuis longtemps. Ses membres se seraient infiltrés dans chaque ramification du pouvoir et auraient organisé la récession en se servant de la banque centrale des États-Unis.

Les institutions financières menées à la banqueroute ont-elles été punies pour avoir refusé de s'associer au groupe ? La récession avait-elle pour but de transférer encore plus de pouvoirs aux politiciens, capitaines d'industrie et oligarques membres de ce clan secret ?

Il a également été avancé que les troubles fiscaux avaient été causés par le gouvernement américain afin de réduire l'immigration illégale. Comment expliquer que, fin 2007, le nombre d'immigrants illégaux aux États-Unis ait chuté aussi fortement ? De plus, la plupart des consommateurs ayant perdu leur maison ou été ruinés par l'éclatement de la bulle immobilière étaient d'origine hispanique ou africaine. Deux groupes qui concernent la majorité des immigrants...

Une dernière théorie pointe du doigt une alliance secrète entre les gouvernements industrialisés, laquelle aurait été scellée en dernier recours afin de saboter le financement des actes terroristes. En asphyxiant les circuits fiscaux de cellules de plus en plus riches et mieux organisées, le groupe espérait neutraliser Al-Qaïda et les autres factions militantes responsables d'attentats à travers le monde.

Réchauffement climatique

Le réchauffement climatique : un phénomène du 20e siècle devenu la crainte du 21e siècle. L'augmentation du rejet des gaz à effet de serre liée à la consommation des énergies fossiles et du mépris de l'environnement a commencé à provoquer un dangereux réchauffement terrestre. Chacun s'inquiète pour l'avenir. Mais se pourrait-il que le réchauffement climatique soit l'un des plus gros mensonges jamais inventés ?

Les sceptiques du réchauffement impliquent qu'il n'existe aucune preuve formelle de l'augmentation de la température et que la Terre subit simplement des fluctuations de température naturelles. Selon eux, les campagnes scientifiques et écologiques menées actuellement servent seulement de couverture à des intérêts bien moins nobles.

La propagation du concept de « réchauffement climatique » ferait partie d'un plan sponsorisé par les Nations unies afin de redistribuer les richesses du développement industriel occidental – surtout celles des États-Unis – pour avantager les marchés émergents tels que la Chine, l'Inde et le Brésil. Les partisans de cette théorie soutiennent que le plan sur les changements climatiques des Nations unies sert à masquer le renversement de la hiérarchie financière mondiale. Quant à l'accord de Kyoto, il s'agit d'une attaque à peine déguisée contre les États-Unis et leur base de pouvoir.

D'autres pensent qu'un Nouvel Ordre mondial apparenté aux Illuminati serait derrière la supercherie. Ils auraient propagé ce mensonge afin d'effrayer la population et de déstabiliser l'économie américaine, la rendant ainsi vulnérable à une attaque lorsque le Gouvernement unique sera prêt à s'emparer du pouvoir.

Si les États-Unis venaient à signer un accord de limite d'émission comme prévu dans l'accord de Kyoto, il est prévisible que la facture de restructuration de l'industrie serait colossale, et que tout le pays serait handicapé par les pertes d'emplois. L'investissement requis serait tel que le gouvernement devrait sûrement puiser dans les réserves destinées à la défense… rendant ainsi le pays vulnérable à une éventuelle menace militaire.

D'autres affirment que le réchauffement climatique est une vérité exagérée volontairement par les scientifiques et les écologistes afin d'obtenir plus de fonds – une ruse que les médias se garderaient de dévoiler pour pouvoir profiter des revenus réalisés par les ventes de journaux et publicités sur le sujet. Certains gouvernements seraient de mèche avec les médias, et profiteraient de l'engouement populaire pour l'environnement pour se faire élire et se concentrer ensuite sur d'autres projets.

Une autre opinion consiste à penser que le gouvernement a créé le mythe du réchauffement climatique de toutes pièces pour mieux taxer entreprises et individus. Comment expliquer autrement que les voix des défenseurs de l'environnement s'élèvent d'autant plus que les pays traversent une mauvaise passe financière, et disposent d'à peine assez de ressources pour la reconstruction ?

Bien sûr, la théorie du complot fonctionne dans les deux sens : certains écologistes suggèrent que les entreprises énergétiques américaines tentent de faire croire que le réchauffement climatique est un mythe pour empêcher la mise en place de régulations qui menaceraient de réduire leurs marges de profit. C'est parce qu'ils ont trop à perdre d'une éventuelle acceptation du Plan sur le changement climatique de l'ONU et de l'accord de Kyoto que les producteurs de pétrole et charbon persistent à nier la menace climatique.

Reine Elizabeth Ire

Les historiens n'ont jamais pu établir clairement pourquoi Elizabeth Ire ne s'est pas mariée. À l'époque, la situation était non seulement inhabituelle, mais il était aussi presque impensable que la reine ne donne pas d'héritier au trône. Certaines spéculations affirment que la reine avait une malformation et que son incapacité d'avoir des enfants n'était que l'une des manifestations d'une sexualité dysfonctionnelle.

Partant de cette idée, certains historiens ont poussé l'hypothèse jusqu'à dire qu'Elizabeth était en réalité un homme. Si c'est le cas, il aurait bien sûr fallu que son déguisement soit infaillible, mais cela expliquerait que la reine ne se soit jamais mariée. Cette théorie s'appuie sur le fait que, à l'âge de trois ans, Elizabeth était tombée malade alors qu'elle demeurait chez des cousins éloignés. A-t-elle succombé à la maladie ? Terrifiés à l'idée d'affronter la colère de son père Henry VIII, qui les aurait fait décapiter sans la moindre hésitation, les cousins remplacèrent Elizabeth par un petit garçon déguisé. Le manège aurait duré jusqu'à sa mort. Cela expliquerait pourquoi Elizabeth, qui était devenue chauve à la vie de sa vie, ne se maria jamais.

Rennes-le-Château

Dès sa parution, le livre *L'Énigme sacrée* signé des journalistes Michael Baigent, Henry Lincoln et Richard Leigh en 1982 enflamma les esprits : Lincoln y affirmait avoir résolu le mystère de la bourgade de Rennes-le-Château, mettant à jour un complot qui remonterait à la naissance du Christ. Deux mille ans d'histoire étaient soudain remis en question.

Le premier mystère entourant la paroisse concerne un prêtre qui officia au village durant le dix-neuvième siècle, Bérenger Saunière. De 1885 à 1891, celui-ci mena la vie simple et modeste qu'on attend d'un curé de campagne. Il prévoyait depuis longtemps de restaurer l'église du village, qui était bâtie sur les fondations d'une structure bien plus ancienne datant du sixième siècle et commençait à tomber en ruine. Grâce aux dons de quelques villageois, Saunière entama un plan de restauration. C'est à cette occasion qu'il découvrit quatre parchemins cachés dans une colonne creuse de l'autel, préservés dans des tubes en bois scellés. Les documents consistaient en une série de codes *a priori* incompréhensibles, qui devinrent plus clairs par la suite. Les lettres en relief inscrites sur le deuxième parchemin formaient un message cohérent : À DAGOBERT II ET À SION APPARTIENT CE TRÉSOR ET IL REPOSE ICI. Saunière, sans comprendre précisément la signification du message, avait compris qu'il venait de faire sur une découverte capitale. Il se rendit à Paris pour trouver des réponses, et y demeura trois semaines. On ignore ce qu'il y fit exactement, mais on sait de source sûre que ce petit curé de province fut reçu dans les cercles ecclésiastiques les plus distingués du pays.

À partir de là, le mystère s'épaissit. Lincoln a démontré dans son livre que les dépenses de Saunière excédaient largement ses moyens. On a calculé qu'à la fin de sa vie, il avait dépensé des millions de francs, la plupart en achats excentriques. Il fit par exemple redécorer l'église dans un style tout sauf conventionnel, en faisant inscrire au-dessus de l'entrée l'inscription latine TERRIBILIS EST LOCUS ISTE (« cet endroit est terrible »). Les fresques criardes qu'il fit peindre sur les murs semblent représenter une déformation de l'enseignement biblique : dans la neuvième station de la croix, par exemple, qui représente la mise en terre du corps de Jésus, on aperçoit la pleine lune à l'arrière-plan. Quel message l'abbé a-t-il voulu faire passer ? Selon la Bible, l'enterrement de Jésus aurait eu lieu durant l'après-midi. S'agit-il d'une interprétation selon laquelle l'enterrement aurait eu lieu après la tombée de la nuit ? Surtout, est-on sûr que la scène représente bien un enterrement ? Jésus n'est-il pas plutôt tiré hors de la tombe ?

La vie de Saunière devint de plus en plus mystérieuse. Son entrée dans le cercle fermé de la haute société parisienne semble déjà incongrue, mais que penser de l'intense intérêt que manifesta l'Église pour ses découvertes ? Et du fait qu'il fut ensuite exempté par le Vatican ? À la mort de Saunière, le prêtre de la paroisse voisine refusa de lui administrer les derniers sacrements. Il serait sorti en courant de la chambre du malade, l'air fortement perturbé, et refusa d'accomplir la cérémonie. L'une de ses connaissances affirme qu'on ne le vit plus jamais sourire. Marie Dénarnaud, la fidèle servante et confidente de l'abbé Saunière, avait évoqué un « secret » qui lui apporterait gloire et fortune. De quel secret parlait-elle ?

Saunière avait peut-être mis la main par hasard sur une fortune cachée. Henry Lincoln enquêta cependant à partir de l'idée qu'il avait découvert des informations incendiaires, dangereuses même. Et si sa découverte pouvait remettre en cause toute l'histoire religieuse du monde occidental ? L'argent apparu soudainement provenait-il d'un chantage ecclésiastique ? Saunière a-t-il été payé pour son silence ? Quoi qu'il en soit, le Vatican sembla avoir vécu dans la crainte de l'abbé, obéissant à ses moindres demandes jusqu'à sa mort. Il est difficile de savoir s'il faisait réellement chanter le Vatican, mais toujours est-il que son influence semble s'être étendue bien au-delà de la petite bourgade de Rennes-le-Château. Avant de mourir, il confia son secret à sa servante. Celle-ci mourut sans jamais avoir révélé la clé du mystère.

Henry Lincoln insiste sur le fait qu'il n'a jamais sciemment voulu discréditer les principes du christianisme. Sa recherche, inspirée par le mystère entourant Saunière, l'a simplement conduit à un réseau de complot et de secrets qui remettraient en cause toute la culture chrétienne : son hypothèse se fonde, en effet, sur l'idée que Jésus aurait été marié. Si rien dans les Évangiles ne l'indique de façon explicite, ce statut aurait pourtant été la norme pour toute personne souhaitant obtenir le titre de rabbin. La loi juive stipule clairement qu'un homme marié ne peut enseigner. Le récit des noces de Cana soulève également plusieurs questions : pourrait-il s'agir du mariage de Jésus lui-même ? Marie, la mère de Jésus, est présente à la cérémonie, et plusieurs personnes s'adressent à Jésus en parlant du fiancé. S'agirait-il de Jésus lui-même ?

Lincoln démontre ensuite que, si Jésus était marié, les écrits de la Bible semblent indiquer que sa femme aurait été soit Marie-Madeleine, dont le rôle reste ambigu tout au long des Évangiles, soit Marie de Béthanie. Les deux femmes pourraient, d'ailleurs, n'être qu'une seule et même personne. C'est d'ailleurs ainsi qu'elles sont perçues par l'Église médiévale et la tradition populaire. Cette femme qu'on retrouve à plusieurs endroits et sous plusieurs noms dans les Évangiles était peut-être l'épouse de Jésus.

Allons plus loin : si Jésus était marié, a-t-il eu des descendants, établissant une dynastie qui aurait menacé l'ordre établi de Rome ?

Encore une fois, rien dans les Évangiles ne répond clairement à la question. Lincoln, lui, s'interroge sur le véritable statut de Barabbas : si Jésus avait eu un fils, celui-ci aurait logiquement été prénommé « Jesus bar Rabbi » c'est-à-dire « Jésus, fils du rabbin ». Autre interprétation possible, « Jesus bar Abba », qui signifie « Jésus, fils du père » peut également faire référence au fils de Jésus, puisque celui-ci serait le Saint Père.

Lincoln va plus loin en démontrant que l'épisode de la crucifixion est lourd d'ambiguïté. La crucifixion était une pratique romaine normalement réservée à ceux qui avaient commis des crimes contre l'Empire, ce qui suggère que Jésus aurait plutôt entravé la loi de l'Empire romain que celle des Juifs. En outre, les victimes de crucifixion mettaient généralement plus d'une semaine à mourir. La mort de Jésus semble avoir été « précipitée » pour correspondre à la prophétie de l'Ancien Testament. Sans compter que, selon la loi romaine, les crucifiés n'avaient pas le droit d'être enterrés : leur corps restait sur la croix jusqu'à décomposition.

Si Jésus n'est pas mort sur la croix, où s'est-il enfui et qu'est-il advenu de lui ? La résurrection a-t-elle bien eu lieu, ou n'était-ce qu'une ruse du plan d'évasion ? Selon certaines légendes orientales, Jésus aurait vécu jusqu'à plus de 70 ans. Lincoln affirme que les documents retrouvés à Rennes-le-Château contiennent « des preuves irréfutables » qu'il était encore en vie en l'an 45. Et qu'est-il arrivé à sa famille ? Si, effectivement, il était marié et avait des enfants, ceux-ci auraient été forcés de s'enfuir en même temps. Se sont-ils réfugiés dans le sud de la France, comme le suggère Lincoln ? Le corps momifié de Jésus se trouve-t-il quelque part près de Rennes-le-Château ? Est-ce là qu'il a mis sa descendance à l'abri, une descendance qui serait aussi ordinaire que le commun des mortels ? Bien sûr, il est actuellement impossible de désigner quelqu'un en particulier comme étant le descendant de Jésus. Si c'était un jour le cas, toutes les valeurs fondatrices du monde occidental seraient remises en cause…

Saunière ne trahit jamais son secret. Avait-il découvert que, depuis des siècles, l'Église avait maquillé la véritable histoire de Jésus ? On comprendrait mieux pourquoi l'Église du dix-neuvième siècle tenait tant au silence de Saunière.

Robert Maxwell

Le labyrinthe d'intrigues entourant la vie de Robert Maxwell commença seulement à se démêler après sa mort en novembre 1991. Alors qu'il prenait un bain de soleil sur son yacht dans les îles Canaries, il passa mystérieusement par-dessus bord juste à l'époque où ses transactions financières douteuses commençaient à être dévoilées. Maxwell, président du groupe Mirror et accessoirement voleur de retraites, aurait été impliqué dans une affaire de blanchiment d'argent avec la mafia russe et un groupe de triades chinoises. Il était aussi proche des conspirateurs responsables du coup d'État contre le président russe Mikhaïl Gorbatchev en 1991, et participa indirectement à l'affaire Iran-Contra. Ses activités illégales ne l'empêchèrent pas d'évoluer dans les sphères d'influences du pouvoir et d'avoir accès à certains des endroits les plus secrets au monde, dont le Bureau ovale et le Kremlin. Peu étonnant, donc, que la mort de ce personnage controversé aux alliances dangereuses soit voilée de mystère.

Il existe de nombreuses théories concernant « l'assassinat » de Maxwell, dont la plupart mélangent des faits avérés à des suppositions imaginaires. L'hypothèse la plus solide est qu'il aurait été tué en raison de son association avec les services secrets israéliens du Mossad. Ceux-ci auraient éliminé Maxwell parce qu'il menaçait de révéler certains secrets d'État d'Israël. Il faut dire que la mort de Maxwell porte la marque d'une opération du Mossad. Des agents israéliens auraient profité de la nuit pour se faufiler à bord du yacht de Maxwell, le Lady Ghislaine, et lui auraient planté dans le cou une seringue remplie d'un sérum paralysant mortel. Ils auraient ensuite passé son corps par-dessus bord pour faire croire à un suicide.

Maxwell aurait également servi d'agent de liaison aux services secrets soviétiques, et aurait escroqué d'innombrables entreprises pour le compte d'anciens membres du KGB, de la Stasi est-allemande et du gouvernement bulgare. Les gouvernements et les patrons du crime d'Europe de l'Est auraient récupéré, après la mort de Maxwell, de l'argent blanchi se chiffrant en milliards. A-t-il été pris à son propre jeu ?

Roi d'Angleterre James Ier

Sous le règne Tudor, l'Angleterre, bien que subissant des attaques constantes de la part des riches nations catholiques, avait réussi à maintenir le contrôle et à s'imposer comme l'une des nations européennes les plus prestigieuses, sur le plan à la fois culturel et militaire. Même l'Armada espagnole ne constituait pas une menace de domination sérieuse. Le règne d'Elizabeth Ire était celui de la prospérité et de la sécurité.

Cependant, à la mort d'Elizabeth, l'absence de successeur direct au trône sema la confusion dans le pays, donnant aux ennemis de l'Angleterre une occasion rêvée pour attaquer. Trois pays catholiques se seraient unis pour fomenter un complot contre l'Angleterre. En plaçant le roi d'Écosse sur le trône anglais, ils espéraient que les différences incompatibles entre le souverain écossais et le système anglais finiraient par mener à la guerre civile, entraînant du même coup la révolte des Irlandais, qui eux-mêmes pousseraient les Anglais hors d'Irlande. C'est à ce moment que les nations catholiques s'uniraient pour déployer une gigantesque armée à la conquête de l'Angleterre et redonner au pape son statut d'autorité religieuse suprême. Le monarque écossais aurait alors été congédié. La guerre civile éclata comme le plan le prévoyait, à un « détail » près : ce ne fut pas James Ier qui accéda au trône, mais Charles Ier, son fils.

Les nations catholiques firent l'erreur de croire qu'elles avaient du temps devant elles. Lorsque la guerre civile éclata et qu'elles eurent l'occasion idéale d'attaquer l'Angleterre, elles n'avaient pas fini de réunir leurs troupes. Oliver Cromwell, le dirigeant puritain, dut capituler et la couronne revint aux mains de l'Angleterre. Privée du soutien des autres nations, l'Irlande ne fut pas assez forte pour pousser les Anglais hors du territoire. Quant aux Anglais, ils furent que plus jamais déterminés à rester protestants...

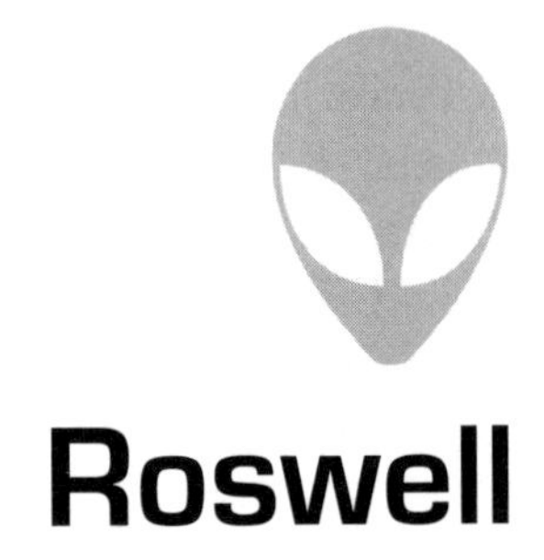

Roswell

Que s'est-il réellement passé à Roswell ? Jamais un fait divers lié aux ovnis n'a autant fasciné. Ceux qui croient que le vaisseau était bien d'origine extraterrestre affirment qu'une, voire deux soucoupes volantes se sont écrasées dans un ranch du Nouveau-Mexique en juillet 1947, dont les débris furent retrouvés par le propriétaire du ranch, un certain Mc Brazel. Les débris de l'engin ainsi que les corps des passagers furent immédiatement emmenés pour être examinés. On n'a jamais su ce qu'il en était advenu. Toutes les personnes interrogées liées de près à l'affaire semblent vouloir rester muettes. Ce qu'elles ont découvert présentait-il un danger pour notre civilisation ?

L'épisode Roswell tomba aux oubliettes jusqu'en 1978, date à laquelle Stanton T. Friedman et William L. Moore exhumèrent les dossiers de l'affaire et conclurent à la lumière des faits que Brazel avait bien découvert les débris d'un vaisseau extraterrestre. Ils établirent même le trajet précédant le crash : le vaisseau serait venu du sud-est de Roswell, aurait commencé à se désintégrer au-dessus du ranch de Brazel, puis aurait dévié vers l'ouest pour aller s'écraser dans la région de Sainte-Augustine. Mais Friedman et Moore se rendirent bientôt compte que les autorités américaines n'étaient pas plus bavardes que trente ans auparavant. Et le gouvernement n'était pas le seul à sembler vouloir étouffer l'affaire… Lydia Sleppy, une opératrice de téléscripteur allemande, transcrivait un jour un rapport sur le crash de la soucoupe volante lorsque la machine s'arrêta brusquement de marcher. Elle reçut ensuite un bref message, retranscrit dans l'ouvrage *L'Incident Roswell* (*The Roswell Incident*) de Friedman et Moore, paru en 1980 : ATTENTION ALBUQUERQUE. INTERDICTION DE TRANSMETTRE. JE RÉPÈTE : INTERDICTION DE TRANSMETTRE CE MESSAGE. CESSEZ TOUTE COMMUNICATION IMMÉDIATEMENT. L'expéditeur du message ne put être identifié.

Visiblement, quelqu'un cherchait à étouffer l'affaire. Mais qui ? Cela signifie-t-il que l'engin écrasé à Roswell était bien d'origine extraterrestre ? Ou l'explication du mystère est-elle plus réaliste ?

Il est possible que l'objet en question ait été un ballon – soit un ballon météorologique, soit un ballon espion lancé en secret dans le cadre du projet Mongol. Les membres du projet encore en vie actuellement ont confié à ce sujet que de nombreux ballons espions étaient susceptibles de s'être écrasés dans le ranch de Brazel, et que la description des débris correspondait. L'objectif du projet classé Mongol était de mettre au point un moyen de contrôler les ondes nucléaires soviétiques. Le ballon était le seul moyen de parvenir à espionner les activités nucléaires de l'URSS, dont les frontières étaient totalement fermées. L'enjeu du projet était capital. Mais le projet Mongol ne cachait-il rien d'autre ?

Certaines hypothèses possibles sont pour le moins dérangeantes. Et si, par exemple, le ballon était un engin top secret qui aurait pu faire gagner la guerre froide aux États-Unis ? Si un tel engin s'était écrasé dès le premier essai de vol, n'importe quelle enquête sérieuse aurait conclu que l'appareil était défectueux, et qu'il n'avait été mis en place que sous la pression d'un gouvernement véreux motivé par l'appât de contrats et de transactions. Mais peut-être le secret de Roswell est-il plus sombre encore. Qui sait s'il ne s'agissait pas d'un ballon télécommandé transportant un engin nucléaire destiné à exploser à haute altitude ? Si l'engin s'était détaché du ballon, la petite ville de Roswell n'aurait échappé que d'un cheveu à la destruction complète. Nul doute que les responsables auraient été prêts à n'importe quoi pour cacher le risque qu'ils avaient fait prendre à leurs propres citoyens, y compris à lancer de fausses rumeurs sur une soucoupe extraterrestre pour détourner l'attention des enquêteurs.

En 1948, un an après l'incident, Newman, un écrivain anglais, écrivit une fiction faisait écho de façon troublante aux événements de Roswell. L'histoire parlait d'un crash d'ovni simulé par un groupe de scientifiques internationaux dans le but de désarmer l'ensemble de la planète. Peut-être le crash de Roswell avait-il d'abord un enjeu politique, à moins qu'il ne s'agisse d'un avertissement des dangers à venir...

Rudolf Hess

L'un des grands mystères de la Seconde Guerre mondiale est la nature exacte du rôle joué par Rudolf Hess dans les hostilités, et les circonstances de sa disparition. Hess était le député du Führer, et lui aurait succédé si celui-ci avait été éliminé. En 1941, à l'aube de la guerre contre l'Union soviétique, il survola l'Angleterre en avion, sans armes, pour se poser en Écosse. Son but était de négocier un traité de paix avec l'Angleterre. En fait de cela, il fut aussitôt arrêté. L'histoire officielle raconte qu'il fut ensuite jugé à Nuremberg et condamné à passer le reste de sa vie derrière les barreaux de la prison de Spandau, à Berlin, où il mourut en 1987. Hess devait savoir qu'il risquait gros en s'engageant seul dans une telle mission. Mais a-t-il vraiment agi seul ? Et pourquoi est-il resté emprisonné à Spandau alors que d'autres prisonniers furent libérés bien avant ?

L'une des théories avancées est qu'Hitler était parfaitement au courant du plan et aurait envoyé Hess en Écosse en tant que délégué. Celui-ci devait rencontrer un membre de la famille royale afin de se mettre d'accord sur un traité de paix entre l'Angleterre et l'Allemagne. Hitler souhaitait à tout prix éviter d'entrer en conflit avec l'Angleterre, sachant qu'il serait extrêmement difficile de conquérir l'île où son arsenal militaire serait attaqué sur le front est et ouest simultanément.

Il décida donc de limiter ses ambitions impérialistes à l'Europe continentale.

Dès que Winston Churchill apprit les projets d'Hitler, il décida de s'interposer. Virulent critique du Führer, Churchill n'avait pas caché son mépris pour les citoyens britanniques favorables à un accord avec l'Allemagne. Leurs manœuvres n'avaient fait qu'augmenter la colère de Churchill, qui considérait l'Allemagne nazie comme un fléau dont l'Europe devait venir à bout. Il ordonna l'emprisonnement de Hess dès que celui-ci posa le pied sur le sol anglais.

Coup de théâtre, l'homme emprisonné n'aurait pas été Hess mais un double anonyme, qui fut enfermé dans une prison galloise tandis que le véritable Hess était resté en Écosse. Le stratagème évitait que les Allemands ne décident d'envoyer leurs forces spéciales pour le libérer. Désireux d'affaiblir Churchill, le duc de Kent – un membre de la haute société favorable à l'accord de paix avec Hitler – se rendit en Islande par avion en faisant halte en Écosse afin de récupérer le vrai Hess. Il prévoyait de le déposer en Suède d'où il négocierait un plan de paix. Bizarrement, l'avion s'écrasa peu de temps après avoir quitté le sol écossais. Il n'y eut aucun survivant.

Pourquoi les aristocrates auraient-ils pris part à de telles manœuvres ? Parce que la menace nazie était moindre comparée à celle que représentait pour eux l'Union soviétique. La haute société pensait qu'en aidant Hitler à concentrer ses efforts sur le front est, il pourrait vaincre plus facilement l'empire stalinien. À l'issue de l'affrontement, les forces soviétiques comme allemandes seraient largement affaiblies, laissant en Europe un vide territorial et politique dont l'Angleterre pourrait profiter pour devenir la puissance dominante.

Après l'échec du plan du duc de Kent, il ne resta au faux Hess d'autre choix que de comparaître au tribunal de Nuremberg. « Hess ? Qui ça, Hess ? Le Hess qui se tient ici aujourd'hui ? Notre Hess ? Ou votre Hess ? » interrogea Hermann Göring lors du procès. Hess aurait très bien pu utiliser un double sans éveiller les soupçons : dans l'euphorie de la victoire alliée, la supercherie aurait pu passer inaperçue.

En novembre 2003, la chaîne britannique Channel 4 diffusa un reportage intitulé *L'Oncle perdu de la reine*. On y apprenait que certains documents « récemment dévoilés » prouvaient que Hess s'était bien rendu au Royaume-Uni pour y rencontrer le prince George, duc de Kent, mais que ce dernier avait disparu de la scène lorsque le séjour de Hess en Angleterre fut coupé court. Si l'on en croit cette théorie, le prince avait en fait agi dans le cadre d'un complot pour faire croire aux nazis qu'il prévoyait, avec d'autres personnalités éminentes, de renverser Winston Churchill.

Selon la version officielle, Hess s'est suicidé en prison. Ce n'est pourtant pas l'opinion de son avocat, Alfred Seidl, pour qui son client a été assassiné. Il soutient que deux agents du M16 ont été envoyés pour tuer le prisonnier de peur qu'il ne soit libéré par la nouvelle direction soviétique, plus laxiste, et révèle ainsi au monde que Churchill avait bien l'intention d'entrer dans des négociations de paix avec les nazis alors qu'il avait toujours maintenu que la paix ne serait déclarée qu'une fois que les nazis se rendraient. Seidl affirme que Hess était bien trop faible pour se suicider : il souffrait d'arthrite aiguë et ne pouvait même plus accomplir seul des actes aussi anodins que lacer ses chaussures. Comment aurait-il pu s'étrangler lui-même avec une corde électrique ? Selon lui, le rapport d'autopsie rédigé par un médecin de l'armée britannique était truffé d'erreurs, preuve que l'armée souhaitait maquiller le crime en suicide. Une seconde autopsie pratiquée cette fois par un pathologiste allemand conclut que les marques sur le cou de Hess n'étaient pas compatibles avec la thèse du suicide, bien que le rapport n'ait pu établir d'une façon certaine l'implication d'un tiers.

Schtroumpfs

Pour la plupart d'entre nous, les *Schtroumpfs* ne sont qu'un innocent dessin animé pour enfants. Innocent, vraiment ? Certains pensent que certains éléments du dessin animé sont politiquement connotés (même si tous ne s'accordent pas sur la nature exacte du message). Le dessinateur belge à l'origine de ces petits êtres bleus aurait ainsi volontairement glissé des messages subliminaux afin d'endoctriner les enfants.

Ainsi, le Grand Schtroumpf, avec son chapeau rouge et sa barbe volumineuse, indiquerait que les Schtroumpfs sont une société communiste. On remarque que le village des Schtroumpfs est fermé aux échanges avec l'extérieur, et que chacun est traité de la même manière sous la régence du Grand Schtroumpf. Chacun a un rôle bien précis et participe à part égale au bon fonctionnement du village. Gargamel, le méchant sorcier et ennemi juré des Schtroumpfs, est un être cupide motivé uniquement par l'appât de l'or et des richesses, ce qui pourrait représenter l'égoïsme capitaliste. Le fait qu'il soit invariablement battu à la fin permettrait de donner une image positive de la société communiste.

Pour d'autres, les Schtroumpfs seraient plutôt à rapprocher du Ku Klux Klan. Les Schtroumpfs « normaux » portent des chapeaux blancs pointus tandis que le Grand Schtroumpf porte un chapeau pointu de couleur rouge, comparables aux cagoules pointues portées par les membres du clan et leurs chefs. De même, Gargamel, avec son nez pointu et sa soif de richesses, ferait écho au stéréotype du Juif tel que les nazis le représentaient.

Une troisième rumeur enfin fut largement diffusée en Amérique latine dans les années 1980, durant lesquelles des témoins rapportèrent avoir vu les Schtroumpfs habillés comme des satanistes pratiquant la magie noire. Dans l'un des épisodes, on voit Gargamel dessiner un pentagramme. Tout comme le Grand Schtroumpf, il pratique régulièrement la sorcellerie ou concocte des potions magiques. Dans certains pays d'Amérique latine, il n'est pas rare d'entendre des témoignages de personnes disant avoir rencontré des Schtroumpfs. Certains pensaient même que s'ils passaient le CD accompagnant la série télévisée, des petits Schtroumpfs démoniaques viendraient les attaquer. Plusieurs personnes ont affirmé avoir vu les petits êtres bleus se cacher sous des plantes dans les jardins, parfois dans leurs propres maisons. Aux États-Unis, un prêcheur a explicitement rapproché les Schtroumpfs du satanisme.

Il n'a jamais été prouvé que le visionnage des Schtroumpfs conditionnait les enfants d'une manière ou d'une autre. Aucune chaîne de télévision n'a d'ailleurs refusé de diffuser le dessin animé. À moins que les chaînes ne fassent elles-mêmes partie du complot...

La mystérieuse disparition de Shergar

La disparition du cheval de course Shergar demeure l'une des affaires les plus intrigantes des années 1980. Aujourd'hui encore, le mystère demeure, le corps de l'animal n'ayant jamais été retrouvé.

Le 8 février 1983, un groupe d'hommes armés débarque dans l'étable où se trouve Shergar, vainqueur acclamé du Derby. Nous sommes à Ballymoney, en Irlande, dans le comté de Kildare. Ils forcent Jim Fitzgerald, le lad de l'étalon, à embarquer Shergar dans un véhicule qui l'emporte bientôt. Quelques jours plus tard, Fitzgerald reçoit une demande de rançon à hauteur de deux millions de livres s'il veut revoir son champion sain et sauf. Mais le propriétaire principal du cheval, le prince Karim Aga Khan, refuse de céder au chantage de peur d'établir un précédent dans le domaine des courses. Le vétérinaire de Shergar, Stan Cosgrove, estime pour sa part que les ravisseurs ont fait l'erreur de croire qu'Aga Khan était l'unique propriétaire du pur-sang, et qu'il s'empresserait de débourser ses millions pour retrouver son favori. Or, Shergar était en fait la propriété partagée de 42 individus différents réunis en syndicat. Et la plupart d'entre eux n'avaient aucune intention de payer la rançon.

Un ancien tireur de l'IRA avoua plus tard que l'organisation était responsable de cet enlèvement raté. L'IRA a cependant toujours refusé d'endosser la responsabilité du crime, mais on ne peut s'empêcher de constater que l'événement eut lieu juste au moment où le groupe était en pleine campagne contre les Anglais, et avait désespérément besoin de fonds pour acheter de nouvelles armes. La situation de l'IRA à l'époque était telle que le recours à un tel chantage est loin d'avoir été impossible.

Durant les vingt années qui suivirent la disparition de Shergar, de nombreux témoins rapportèrent l'avoir aperçu – certains l'auraient vu participer à des courses en Libye, d'autres affirment qu'il aurait été emmené à Marseille par des contrebandiers. Malheureusement, aucune piste ne s'est jamais avérée concluante.

SIDA

Le SIDA constitue sans aucun doute l'un des développements les plus terribles du vingtième siècle. Malgré les millions d'euros investis dans la recherche, la découverte d'un traitement ne semble pas encore à l'ordre du jour. L'époque des ébats insouciants est désormais révolue : le virus peut toucher n'importe qui, n'importe où, n'importe quand.

Le phénomène est déjà effrayant si l'on considère que le SIDA s'est développé d'une façon naturelle. Si, comme certains le croient, il a été créé artificiellement, l'idée est proprement terrifiante. Le virus du SIDA aurait été mis au point artificiellement par le gouvernement américain pour éliminer la soi-disant « vermine » de l'espèce humaine, c'est-à-dire les noirs, les homosexuels et les drogués. Le Dr Abdul Alim Muhammad, ministre de la Santé pour l'organisation politique et religieuse Nation d'Islam (dirigée par Louis Farrakhan), réclame une enquête officielle :

« Les rapports du Congrès attestent qu'en juillet 1969, le gouvernement a consacré de l'argent à la création d'agents biologiques artificiels visant à neutraliser le système immunitaire. On a alloué à l'armée américaine dix millions de dollars. À quand une audience pour rendre ces dossiers publics ? »

À Tuskegee, en Alabama, de 1932 à 1972, environ 400 individus noirs pauvres servirent de cobayes à des scientifiques étudiant les effets de la syphilis non traitée. Cette expérience cruelle a laissé un goût amer à la communauté afro-américaine, et certains soupçonnent depuis le gouvernement de leur avoir volontairement inoculé le SIDA au cours de telles expériences.

Plus de trente ans plus tard, un sondage d'un grand institut de recherche américain a révélé que 16 % des Afro-Américains pensaient que le SIDA avait été créé dans le but de réduire la population noire, tandis que 25 % croyaient que le virus avait été conçu en laboratoire. Le SIDA n'ayant, à l'origine, touché que les homosexuels et les Afro-Américains, on peut effectivement s'interroger. Selon cette même théorie, c'est le Programme spécial américain contre le cancer qui aurait mis au point le fléau. Celui-ci aurait ensuite été transmis à la population au cours des vaccinations contre la variole, ou contre l'hépatite B pour les homosexuels.

L'un des critiques les plus virulents du lien établi entre le VIH et le SIDA est Peter Duesberg. Pour lui, le VIH n'est pas un virus et n'a aucune influence sur l'attaque immunitaire du SIDA. Il maintient que les véritables causes du SIDA sont des agents non infectieux tels que les rapports sexuels et l'usage de drogue – respectivement des agents récréatif et pharmaceutique.

Difficile, au juste, de déterminer les origines du SIDA. Le fléau le plus meurtrier de la planète est-il né de quelques esprits dérangés au nom de la science ou encore du contrôle de la population ? Si c'est le cas, alors le complot a réussi au-delà de toute espérance. Sans doute les conspirateurs ne s'attendaient-ils pas à de tels dégâts…

D'autres hypothèses anti-noirs suggèrent par exemple que Charles Richard Drew, un physicien noir de Washington dont les découvertes sur le plasma ont sauvé des milliers de vies, est décédé suite à un accident de voiture parce qu'on lui avait refusé l'entrée dans un hôpital réservé aux blancs ; ou encore que Tropical Fantasy, un soda produit par une entreprise employant un grand nombre de minorités ethniques, était en fait produit par le Ku Klux Klan et contenait des composés chimiques destinés à rendre les hommes noirs stériles. Auparavant, d'autres entreprises, notamment une chaîne de *fast food* et une autre entreprise de sodas, avaient déjà fait l'objet d'accusations similaires.

Siège de Waco

Le 28 février 1993, l'ATF, le service fédéral américain sur la régulation de l'alcool, du tabac et des armes à feu, tenta d'appliquer un mandat de perquisition dans le ranch de la secte de la branche davidienne au mont Carmel, à proximité de la ville texane de Waco. Les échanges de coups de feu coûtèrent la vie à quatre agents et à six adeptes de David Koresh, le gourou du groupe. Le FBI maintint le siège durant 51 jours consécutifs. Le 19 avril, le FBI lança l'assaut, provoquant l'incendie du complexe et tuant 76 personnes, dont David Koresh.

Pourquoi le FBI a-t-il choisi d'attaquer ainsi ? La ligne officielle est que, à mesure que le siège s'éternisait, les agents prirent peur que les adeptes de la secte ne commettent un suicide collectif – bien que Koresh n'en ait jamais fait la menace. La décision d'agir fut prise lorsque le bruit commença à courir que des enfants avaient été maltraités à l'intérieur du centre.

Steve Stockman, un Texan, affirma dans un article de journal que les autorités Clinton avaient volontairement provoqué la communauté davidienne afin de convaincre les citoyens américains de la nécessité de durcir la loi sur la détention d'armes à feu. Il faut dire que les adeptes étaient lourdement armés.

Le journaliste Peter Boyer a rédigé une analyse éclairante de la situation dans laquelle il soutient que les dirigeants du FBI auraient profité de l'ignorance de l'avocat général Janet Reno, nouvelle venue au poste et qui connaissait mal la situation réelle. Ils auraient volontairement omis de lui faire part de plans et de renseignements capitaux concernant le siège. En affirmant que Koresh s'était rendu coupable de maltraitance sur des enfants à l'intérieur du complexe, le FBI savait que Reno n'aurait d'autre choix que d'ordonner un assaut paramilitaire. Les accusations de maltraitance n'ont jamais été avérées. Mais les conséquences de l'assaut, elles, furent désastreuses.

Sous-marin nucléaire Koursk

La tragédie du sous-marin nucléaire Koursk, dans lequel 118 personnes trouvèrent la mort, fut largement relayée par les médias à la fin de l'été 2000. La plupart des reportages furent consacrés à la tragédie personnelle des sous-mariniers, coincés dans une véritable bombe sous-marine dans les fonds de la mer de Barents, et aux tentatives de sauvetage infructueuses. S'agissait-il d'un incident naval regrettable, ou existe-t-il une explication plus sinistre au sort des sous-mariniers coincés à vingt mètres de profondeur dans les eaux glaciales de Russie ?

Le sous-marin à double coque de classe Oscar II faisait partie d'une flotte de 50 vaisseaux de guerre utilisés pour des exercices navals au large des côtes nord de la Russie. La catastrophe fut causée par deux explosions, mais leur origine demeure inconnue. En 2002, après examen de l'épave, le gouvernement russe conclut officiellement que le sous-marin avait été coulé par une torpille défectueuse. Des hypothèses alternatives ont cependant été avancées : le Koursk serait entré en collision avec le fond marin, ou encore avec un sous-marin anglais ou américain qui aurait dérivé vers les eaux territoriales russes. À moins qu'il n'ait heurté un bateau brise-glace, un cargo ou une mine de la Seconde Guerre mondiale. Reste également l'hypothèse du sabotage. Dimitro Korchinski, président de l'Association politique ukrainienne, affirme que le Koursk a été pris pour cible par des séparatistes tchétchènes. Les services de sécurité russes auraient eu vent du projet deux semaines avant l'événement, mais n'auraient pas pris la menace au sérieux.

La clé du mystère pourrait-elle se trouver hors de la Russie ? Même après la fin de la guerre froide, les sous-marins anglais et américains avaient continué à jouer au chat et à la souris dans l'océan Atlantique avec leurs homologues russes. Durant ces courses-poursuites, les équipages des sous-marins rivaux eurent plutôt tendance à se talonner, mais occasionnellement des collisions se produisent – on a répertorié 11 incidents du genre depuis 1967 pour la seule mer de Barents. Des sources anonymes émanant du ministère de la Défense laissent entendre qu'un sous-marin anglais aurait pu être impliqué, mais que le gouvernement anglais aurait refusé d'admettre l'information publiquement même si celle-ci était avérée. Coïncidence troublante, le jour même du drame, Interfax, l'agence de presse nationale russe, rapporta que des « sources militaires » tenues secrètes avaient retrouvé, à 330 m du Koursk sur le fond, ce qui ressemblait au morceau « d'un massif de sous-marin étranger ». Les mêmes sources affirment que l'explication la plus probable du naufrage est que le Koursk est entré en collision avec un autre sous-marin, « sans doute un sous-marin britannique ». L'information, cependant, a été vigoureusement démentie par les ministères de la Défense russe et britannique.

Quant aux commandants navals russes, ils ont leur propre version de l'incident. Pour eux, le Koursk serait bien entré en collision avec un sous-marin étranger, mais celui-ci serait américain et non britannique. Ils affirment que les sous-marins américains conduisaient des opérations d'espionnage, et détiennent d'ailleurs des photographies satellite où on aperçoit un sous-marin américain à quai dans la base navale norvégienne de Bergen, juste après le naufrage du Koursk. Pour la marine russe, ces photos prouvent que le sous-marin a refait surface afin de faire réparer les dommages provoqués par la collision. Les sous-marins sont spécialement conçus pour rester immergés pendant de longues périodes sans devoir se réapprovisionner à la base, ce qui, pour les Russes, prouve que le sous-marin a dû refaire surface pour des réparations. De plus, les photographies prises durant les missions de sauvetage infructueuses font apparaître des dégâts qui font effectivement penser à une collision latérale. Le marine américaine a nié ces allégations, admettant néanmoins qu'elle avait conduit des opérations dans cette zone au moment du naufrage.

Une explication plus sensationnelle encore a été avancée : l'une des torpilles à bord du Koursk aurait explosé, causant une déflagration si puissante qu'elle aurait été ressentie jusqu'en Alaska, et mesurée à 4,2 sur l'échelle de Richter. À l'origine du drame, une torpille ultra-rapide top secrète baptisée Chkval alors expérimentée par les Russes. Celle-ci serait plus puissante que n'importe quelle torpille de l'arsenal de l'OTAN. S'il s'agit de la vérité, nul doute qu'à l'avenir la Russie essaiera de mieux protéger ses opérations secrètes.

Des informations contradictoires ont aussi émergé avec la découverte de documents secrets du gouvernement britannique mentionnant un accident de sous-marin au large des côtes anglaises, en 1955. Le peroxyde extrêmement instable utilisé pour alimenter le moteur de la torpille serait à l'origine de l'explosion. Suite à l'accident, les Britanniques cessèrent d'utiliser cette technologie. Les Russes, cependant, auraient continué d'en faire usage, ce qui expliquerait peut-être la tragédie du Koursk.

En 2001, le journal communiste *Komsomolskaïa Pravda* laissa entendre que l'amirauté russe aurait étouffé l'affaire. Peu avant l'explosion, le Koursk aurait envoyé un message de détresse indiquant qu'une des torpilles était défectueuse, et demandant permission de la lancer. Les autorités russes ont démenti cette version, refusant d'endosser la responsabilité de l'accident, d'autant plus que le président Vladimir Poutine avait été critiqué pour n'avoir pas abrégé ses vacances au moment de la crise.

Le seul consensus à émerger de ces nombreuses hypothèses est que, quelle que soit la vérité, toutes les parties impliquées dans l'accident ont préféré garder le secret. Aucune théorie n'a pu être privilégiée. Entre mensonges d'État et langue de bois, ce sont malheureusement les familles des disparus qui ont eu le plus à souffrir d'un profond sentiment d'injustice.

Spam

Aux États-Unis, le Spam est une célèbre marque de viande en conserve. Mais pas seulement : pour certains, il fait aussi partie intégrante d'un complot gouvernemental qui permettrait aux extraterrestres de nous utiliser comme cobayes en échange d'armes lasers et systèmes de contrôle mental. Pour obtenir cette technologie ultra-perfectionnée, les autorités ferment les yeux sur les enlèvements d'humains par les extraterrestres.

Ainsi, environ un citoyen sur quarante aurait reçu un implant censé contrôler son esprit. Après la mise en place de la puce dans le cerveau, les extraterrestres renvoient chez eux les cobayes, parfaitement ignorants de ce qui leur a été infligé. Ils ne se souviendront de rien à moins de décider par eux-mêmes de se soumettre à l'hypnose.

Et les conserves Spam, dans tout ça ? Si l'on en croit la théorie du complot, les extraterrestres ont un système digestif incomplet qui les empêche de manger comme nous. Ils sont forcés de retirer les intestins et les hormones intestinales des kidnappés en espérant que leur peau absorbera certains des nutriments par contact avec nos organes. Et voilà où le Spam entre en jeu : ceux qui n'ont pas consommé assez de cette viande en conserve ne seraient pas assez goûteux pour les papilles extraterrestres ! C'est simple : pas de Spam, pas d'enlèvement.

C'est ce qui expliquerait le recours à la « sonde anale ». Les extraterrestres s'en serviraient pour extraire de la matière fécale pour vérifier que leur cobaye a bien ingéré assez de Spam pour être à leur goût. Si le résultat est concluant, les extraterrestres prélèvent des extraits de l'organisme pour les placer dans des cuves d'alimentation. Si non, ils implantent une puce qui donne à la victime d'irrésistibles envies de Spam.

On comprend mieux pourquoi le gouvernement souhaite tant garder secret l'accord répugnant qu'il a conclu avec les extraterrestres. En tout cas, si les Américains n'étaient pas déjà dégoûtés de la viande en conserve, ils ont enfin une bonne raison de l'être !

Le Sphinx et les grandes pyramides

Les monuments gigantesques construits par les anciens Égyptiens continuent encore aujourd'hui à fasciner touristes et chercheurs. Parmi eux, les plus impressionnants sont les grandes pyramides et le Sphinx de Gizeh. Ces structures, construites uniquement avec des blocs de pierre solides pesant chacun 200 tonnes, fascinent les visiteurs depuis leur construction.

Les pharaons égyptiens ont-ils construit les pyramides justement dans le but d'impressionner les générations futures et de s'assurer qu'ils resteraient dans l'Histoire ? On ignore toujours de quelle façon elles furent érigées, et le mystère semble parti pour durer. Les théories ne manquent pourtant pas : gigantesques réserves d'esclaves, technologie ancienne inconnue, aide des extraterrestres…

Il a même été avancé que les pyramides n'auraient pas été construites par un peuple autre que les Égyptiens. Les roches utilisées pour la construction du Sphinx de Gizeh ne proviennent par d'une carrière similaire à celles des autres pyramides et temples gardés par lui. On dirait plutôt qu'il a été taillé à même la roche. Le Sphinx a une tête d'homme (ou de femme, selon les interprétations) et un corps de lion. Il mesure

20 m de haut et près de 75 m de long. Son regard mystérieux semble plongé vers l'infini. La plupart des égyptologues pensent qu'il fut construit vers 2500 av. J.-C. sous le règne du pharaon Khéphren, qui fit aussi construire la seconde pyramide de Gizeh. Or, de récentes recherches ont démontré que cette hypothèse ne se tient pas. Une révélation dérangeante pour les Égyptiens, pour qui cet édifice monumental représente le passé glorieux de l'Égypte.

John A. West, un égyptologue renommé, s'est lui-même rendu en Égypte de nombreuses fois pour observer de près la statue. Au cours de ses séjours, il a forgé la conviction que le Sphinx appartenait à une civilisation à part, plus ancienne que toutes celles que nous connaissons. C'est en lisant un livre sur l'Égypte de l'écrivain et mathématicien français Schwaller de Lubicz qu'il découvrit la théorie selon laquelle le corps du Sphinx présenterait des traces d'érosion par l'eau. West réalisa alors que les marques d'érosion sur la statue étaient verticales, et non horizontales comme sur les autres monuments de Gizeh. Les lignes horizontales d'érosion s'expliquent facilement par une exposition prolongée aux vents et aux tempêtes de sable, fréquents dans la région aride qu'est le Sahara. Mais comment expliquer les traces d'eau sur le Sphinx ? D'où peuvent-elles bien provenir ?

En 1991, le Dr Robert Schoch, un éminent géologue et professeur à l'université de Boston, conclut après examen des traces d'érosion sur le Sphinx que celles-ci avaient été causées par des pluies torrentielles. Il aurait donc été construit à l'époque où la région était encore propice aux intempéries, tandis que les autres monuments auraient été construits bien après. Le Sphinx aurait donc été construit bien avant l'arrivée des plus anciens Égyptiens, bien avant les premières dynasties apparues plusieurs millénaires avant Jésus-Christ – soit avant le début de l'histoire de notre humanité. Et cette conclusion ouvre la porte à des hypothèses stupéfiantes.

Le Sphinx est sans doute le monument le plus remarquable au monde. Il dépasse tout ce que les anciens Égyptiens ou même ce que notre culture moderne seraient capables de construire. Il semble appartenir à une civilisation ancestrale dont les connaissances techniques dépassent de loin les nôtres. Le visage même du Sphinx semble étonnamment moderne, avec son expression sage et profonde qui semble relever d'un savoir supérieur. On ignore toujours quels secrets le Sphinx était censé garder, mais une chose est sûre : les Égyptiens ne sont pas près de les révéler.

La tête pharaonique du Sphinx est disproportionnée par rapport à son corps. S'agissait-il au départ d'une tête de lion sculptée il y a 12000 ans pour marquer l'entrée dans l'ère du Lion ? Les Égyptiens auraient redécouvert la sculpture il y a 4000 ans et l'auraient alors re-sculptée en honneur de leur pharaon.

Une série d'examens a aussi révélé l'existence de plusieurs tunnels sous le Sphinx lui-même, menant à une chambre encore inexplorée située à plus de sept mètres de profondeur sous les pattes de la statue. On doit se contenter d'hypothèses sur ce que contient réellement cette chambre, et les possibilités les plus fascinantes sont permises : qui sait si elle pourrait contenir les vestiges d'une ancienne civilisation ? Et s'il s'agit de celle qui a construit le Sphinx, on ne peut qu'imaginer toute l'étendue de leur savoir et de leurs connaissances techniques. Est-ce là la clé de l'énigme du Sphinx ?

En mars 1993, nouvelle révélation : on découvrit une petite porte au bout d'une longue artère verticale dans la grande pyramide. Depuis, German Rudolf Gantenbrink, chercheur principal du site, a interdit de poursuivre l'exploration plus avant. Les autorités égyptiennes responsables des antiquités justifièrent leur décision en affirmant qu'en révélant les détails des recherches à la presse britannique, Gantenbrick avait violé une règle de l'archéologie. Ces mêmes autorités ont affirmé que les découvertes étaient de moindre importance. Pourquoi, alors, mettre tant de soin à les garder secrètes ?

Quelques autres théories répandues suggèrent que le Sphinx et les pyramides furent créés grâce à une technologie ultra-avancée venue de l'espace (ou du moins que les Égyptiens ont été aidés par des extraterrestres). De leur côté, les journalistes Lynn Picknett et Clive Prince affirment dans leur ouvrage *La Porte des étoiles : mystères ou conspiration ?* que les hypothèses sur l'intervention extraterrestre dans la construction des pyramides ne sont qu'un aspect d'un complot bien plus vaste, et bien moins connu encore. Selon eux, l'idée d'une intervention extraterrestre n'est là que pour faire diversion et masquer la réalité d'une conspiration à grande échelle impliquant plusieurs agences du renseignement désireuses de faire croire à la population humaine qu'elle est subordonnée à une race extraterrestre supérieure à la nôtre. Elles espèrent ainsi créer un complexe d'infériorité dans la population humaine qui se traduira par un besoin de dépendre de forces extérieures. Ces agences pourraient ensuite « intercepter » des messages avec la complicité des gouvernements afin de manipuler la population sous couvert d'obéir à des ordres venus de l'espace, afin d'imposer peu à peu une dictature fasciste autoritaire. Et quelle meilleure façon de préparer le terrain que d'entretenir notre fascination pour l'ancienne Égypte ?

Suaire de Turin

L'exposition publique de l'une des reliques les plus contestées de l'histoire n'a pas été sans controverse. Le suaire de Turin, ce grand drap dont le tissu porte l'empreinte d'un homme, date au moins de plusieurs siècles, mais certains pensent qu'il serait vieux de deux mille ans. L'homme représenté sur le suaire, avec sa barbe et ses cheveux, ressemble étrangement à Jésus. Ses blessures évoquent une crucifixion et les marques sur son front pourraient avoir été faites par une couronne d'épines. Il présente des traces de coups de fouet et même une coupure à droite du torse. Le tissu semble être taché de sang.

Au-delà du débat sur l'authenticité de la relique, c'est la nature de l'empreinte elle-même qui intrigue les spécialistes : de quelle façon est-elle apparue sur le suaire ? Le procédé semble similaire à celui d'un négatif photographique, mais il aurait été difficile à réaliser il y a 2000 ans, ou même 1000 ans. Certains pensent que Léonard de Vinci possédait des connaissances technologiques suffisantes pour créer une image photographique, et que l'image présentée sur le suaire est en fait un autoportrait de De Vinci lui-même.

Un scientifique a avancé l'idée que l'empreinte est en réalité une peinture, après avoir, semble-t-il, retrouvé des traces de peinture sur le tissu. Mais la théorie se tient difficilement : avec le temps et l'usure, et le contact avec d'autres tableaux pour les « sanctifier », les traces du suaire se seraient effacées. De plus, on n'a retrouvé aucune trace de pinceau sur le tissu.

L'un des éléments qui laissent penser que la relique est un faux est que les blessures causées par les clous se trouvent sur les paumes des mains, comme dans les représentations traditionnelles de la crucifixion de Jésus. Or, en pratique, cela aurait été physiquement impossible : il a été prouvé que les mains n'auraient pu soutenir le poids du corps, et se déchireraient. La crucifixion ne pouvait se faire qu'en plantant les clous dans les poignets, dont la structure osseuse est assez forte. Si le suaire de Turin est un faux, celui qui l'a fabriqué s'est appuyé sur la tradition plutôt que sur les faits concrets.

Mais même en acceptant que le suaire soit un faux, cela n'explique pas son origine. Si on considère qu'il a été forgé au Moyen Âge, la précision de l'image semble stupéfiante pour l'époque. Et rien n'explique les taches de sang retrouvées. Selon l'une des théories concernant le suaire, la relique ne serait rien moins que le mythique Saint Graal ! Autre hypothèse, l'homme représenté sur le drap serait non pas Jésus mais un chevalier templier, l'un des gardiens légendaires du Graal.

Le suaire a manqué de peu d'être détruit par le feu à trois reprises depuis qu'il est conservé à Turin. La troisième fois, au matin du 14 avril 1997, les pompiers trouvèrent la cathédrale de Turin en flammes en arrivant sur les lieux, ainsi que la chapelle Guarini adjacente, construite spécialement pour héberger la relique. Mario Trematore, un pompier devenu héros local, se servit d'une massue pour briser la glace blindée qui protégeait le suaire, et l'emporta en lieu sûr.

Si le suaire fut intact, on ne peut pas en dire autant de la cathédrale et de la chapelle, œuvres de l'architecte Guarino Guarini. Les deux bâtiments furent sérieusement endommagés. Le rapport officiel indique que la cause de l'incendie est une faille électrique, mais une source officieuse aurait mis en lumière un complot anti-catholique visant à faire disparaître le suaire. Les responsables seraient des membres de l'Église baptiste sudiste d'Amérique du Nord et des factions extrémistes fondamentalistes de l'Église protestante. L'incendie de la cathédrale et de sa chapelle coïncidait justement avec une nouvelle vague d'agressions commises contre le catholicisme romain par des forces protestantes réactionnaires. Le choc provoqué par la destruction du suaire aurait sans doute conduit à une rupture au sein de l'Église romaine catholique dans le monde entier. La confusion qui aurait accompagné l'événement aurait ainsi donné aux factions rivales l'occasion idéale de lancer une attaque.

L'Église baptiste a officiellement renié le suaire comme étant un faux, en se fondant sur la datation du drap établie par les récents travaux scientifiques. Mais bien que les études semblent indiquer que le suaire est apparu au Moyen Âge, aucune date précise n'a pu être avancée. Quant à l'image qui a rendu le suaire célèbre, elle reste elle aussi un mystère.

Syndrome de la guerre du Golfe

Lorsque la guerre du Golfe éclata à la fin du vingtième siècle, le monde entier fut stupéfait de constater la supériorité militaire des États-Unis. Les armées irakiennes furent battues à mille contre une et les troupes revinrent saines et sauves.

Saines et sauves, vraiment ? Pas tout à fait : des milliers de vétérans de guerre ont succombé ou souffrent encore d'un syndrome communément appelé « syndrome de la guerre du Golfe ». Il se manifeste par des maux de tête, des étourdissements ou pertes d'équilibre, pertes de mémoire, fatigue chronique, perte du contrôle musculaire, douleurs articulaires, indigestions, problèmes cutanés, sensation d'étouffement et même résistance à l'insuline. Les tentatives des scientifiques pour déterminer l'origine précise du syndrome de la guerre du Golfe ont rencontré l'opposition du gouvernement, qui nie farouchement l'existence d'un tel syndrome.

On pense que le syndrome aurait pu être manufacturé pour créer une sorte d'agent de guerre biologique. Le gène du HIV y aurait été intégré – la maladie touche surtout les personnes ayant un système immunitaire fragile. Cela dit, personne ne semble réellement savoir d'où vient le syndrome. Le manque de fonds alloués et la pression exercée par un gouvernement désireux d'étouffer l'affaire ont rendu impossible des recherches poussées. Il semblerait que le Centre de recherche sur le cancer MD Anderson à Houston, au Texas, soit le seul endroit où le phénomène soit pris au sérieux.

Le gouvernement a rendu publics des documents semblant prouver que les vétérans de la guerre du Golfe ont effectivement été exposés à des agents chimiques et biologiques durant l'opération Tempête du désert. Les sympathisants des vétérans soutiennent que les États-Unis sont directement responsables de la création de ces armes, puisque eux-mêmes avaient vendu des agents chimiques et biologiques au gouvernement irakien.

Il semblerait, de surcroît, que les vétérans aient été utilisés comme cobayes par les militaires eux-mêmes. Ceux-ci auraient forcé les troupes à prendre des injections de drogues expérimentales censées les protéger des armes biologiques et des gaz neurotoxiques. Juste avant le début de la guerre, le Bureau d'étude américain sur la pharmacopée et l'alimentation, ou FDA (*US Food and Drug Administration*) adopta une loi provisoire permettant à l'armée de tester des drogues sur ses soldats sans leur consentement « en cas d'urgence militaire ». Cette loi « provisoire » est toujours en vigueur. Suite à cette décision, les troupes se sont vu administrer des comprimés de bromure de pyridostigmine et des vaccins de toxine botulique. Le FDA maintient que l'armée avait informé ses soldats des effets secondaires de ces drogues expérimentales et exigé de conserver des rapports complets sur les troupes qui les avaient ingérées.

Cette information est cependant démentie par le Centre national de ressources sur la guerre du Golfe. Le département de la Défense aurait omis de prévenir les troupes sur les effets secondaires éventuels et leur aurait administré des injections sans leur consentement. Il n'aurait pas non plus tenu de rapports sur les troupes ayant ingéré ces drogues expérimentales, ni répertorié les effets secondaires que les troupes auraient inévitablement subis. Le fait de n'avoir consigné aucune de ces données continue, encore aujourd'hui, à freiner l'accès des vétérans aux soins médicaux.

Plus effrayant encore, les mycoplasmes qui seraient responsables du syndrome de la guerre du Golfe semblent être hautement contagieux. Certains membres des familles des vétérans de la guerre du Golfe sont désormais eux-mêmes affectés par la maladie et plusieurs familles pauvres pourraient également être tombées malades après avoir ingéré de la nourriture provenant de l'opération Tempête du désert, dont le surplus fut renvoyé à des banques alimentaires.

Pourrait-il s'agir d'une vaste opération de contrôle de la population ? Peut-on imaginer que les hommes et femmes qui se sont battus pour leur pays en soient devenus les premières cibles ?

Après les combats en Irak de 2003, d'autres soldats américains furent victimes de symptômes similaires, un facteur que certains attribuent aux armes à l'uranium appauvri utilisées durant le conflit par l'armée américaine.

Tchernobyl : et si ce n'était pas un accident ?

Que s'est-il passé exactement le 26 avril 1986 à Tchernobyl ? Tragique accident ou sinistre expérience savamment planifiée ?

Au cours des années, beaucoup se sont parfois demandé si le quatrième réacteur de la centrale nucléaire de Tchernobyl où s'est produite l'explosion aurait pu avoir été volontairement endommagé. À l'époque de l'accident, un test destiné à résoudre certains problèmes de sécurité ne s'était pas passé comme prévu, et des séries d'« erreurs » avaient été relevées durant le processus préalable au test. Mais pourquoi les autorités soviétiques auraient-elles ordonné un désastre d'une telle ampleur, qui aura coûté la vie à des millions d'innocents ?

L'explication généralement avancée est que la catastrophe aurait servi d'expérience pour se préparer à une riposte en cas de guerre nucléaire. Si le gouvernement russe prévoyait de déclarer la guerre nucléaire aux États-Unis, il était nécessaire de procéder à certaines recherches et expériences afin de déterminer quels types d'équipements et de procédures seraient nécessaires pour se protéger contre la contamination radioactive après les attaques nucléaires. Et, pour mettre en place une protection sur le long terme, il était utile de tester d'abord les effets immédiats d'une attaque nucléaire. Si l'objectif final de la Russie était bel et bien de déclarer la guerre nucléaire à l'Occident, est-il raisonnable d'imaginer que la catastrophe nucléaire ukrainienne leur ait servi d'expérience préparatoire ?

Il existe d'autres théories sur le drame, notamment que les pays de l'Ouest seraient responsables d'avoir fourni à la Russie du matériel défectueux dans le cadre d'un complot de la guerre. Une vidéo amateur postée sur Youtube suggère même que l'explosion de Tchernobyl a été causée par une frappe aérienne américaine.

Télévision

Dès la fin de la Première Guerre mondiale, les médias de masse et les modes de divertissement furent changés du tout au tout. L'invention de la télévision remplaça rapidement dans les foyers la radio et les soirées diapositives. Grâce à ses images animées et ses détails réalistes, plus besoin de faire appel à sa propre imagination ! Et si c'était justement là le but ?

La télévision est depuis restée le passe-temps le plus répandu sur la planète. Pour certains, cependant, il ne s'agit pas d'un divertissement innocent, mais d'une vaste conspiration dont le développement et la promotion ont été orchestrés de pair par le gouvernement américain et la CIA, qui à l'époque venait tout juste d'être formée. Celle-ci aurait donné priorité absolue au développement et à la diffusion de la télévision, réalisant très vite qu'elle allait révolutionner l'univers des médias. Lorsque les premiers modèles de postes télé apparurent sur le marché à un prix abordable pour les foyers moyens, de nombreuses émissions de divertissement variées étaient déjà disponibles.

Pourquoi le gouvernement souhaitait-il tant encourager la population à regarder la télévision ? Tout simplement parce que si la majorité du public avait l'esprit occupé par des émissions de télé, les autorités pourraient continuer à mener leurs programmes de défense secrets sans rencontrer de protestation. En pleine époque de guerre froide, les États-Unis espéraient ainsi distraire leurs citoyens pendant qu'ils se préparaient à riposter contre l'Union soviétique.

La Terre est creuse

Pour certaines personnes, il ne fait aucun doute que la Terre est en réalité plate et qu'elle est habitée en son centre, notamment par les descendants des survivants de la civilisation Atlantis. Des entrées secrètes, placées de façon stratégique autour de la Terre, permettent d'y accéder et de laisser sortir les soucoupes volantes. Au centre de cette Terre creuse se situe un soleil plus petit que le nôtre, mais assez grand pour assurer chaleur et lumière à ses habitants. Toujours selon cette théorie, cela expliquerait les aurores boréales et australes qu'on aperçoit près des pôles : il s'agirait des sites où se trouvent les deux entrées secrètes, construites aux deux endroits où la croûte terrestre est la moins épaisse. Le soleil central diffuse des images dignes d'un paradis tropical, voire du jardin d'Éden. Alors, l'humanité est-elle née au centre de la Terre avant d'émigrer vers la surface ?

Il existe de nombreuses variantes à cette théorie. Pour certains, les soucoupes volantes proviennent bien de l'intérieur de la Terre, mais il ne s'agit ni des descendants d'Atlantis ni d'êtres venus de l'espace : elles viendraient de bases secrètes construites par les nazis – lesquels auraient découvert l'entrée secrète juste avant la chute du Troisième Reich. C'est là qu'ils se cacheraient, guettant le moment idéal pour relancer leur campagne à la surface de la Terre, après avoir éliminé tous les habitants du centre ne correspondant pas à leur idéal aryen. Selon d'autres théories, l'intérieur de la planète est bel et bien habité, mais ses habitants n'ont pas d'enveloppe physique, de sorte que la croûte terrestre ne représente pas un obstacle pour eux. Autre théorie proposée, le centre de la Terre renfermerait des villes souterraines mais celles-ci, en fait d'être construites par une civilisation humaine avancée, auraient été bâties par des êtres venus d'autres planètes qui utiliseraient la nôtre comme base. Enfin, il paraîtrait même que nous habitons nous-mêmes sans le savoir au centre d'une Terre creuse. Oubliez tout ce que vous savez des lois de la physique !

Si c'est vrai, une question s'impose : comment a-t-on pu pénétrer dans ce monde caché ? La forme de la Terre ressemblerait en fait à un beignet géant, avec deux trous à chaque pôle permettant d'accéder aux zones intérieures. Certains pensent plutôt que l'entrée se fait par d'anciens tunnels, grottes ou caves. Le mystère entourant la zone 51 et certaines autres régions énigmatiques suggère aussi la possibilité d'autres entrées cachées. Quoi qu'il en soit, il semble évident que ces entrées nous ont été dissimulées grâce à des technologies avancées nous empêchant de les détecter. Difficile, autrement, de camoufler un trou géant sur la Terre ! Hologrammes, appareils de contrôle mental et psychologique, machines à remonter le temps… qui sait par quels moyens on nous empêche de voir la vérité ? La seule chose dont on soit sûr, c'est que, visiblement, les habitants de ce royaume intérieur ne souhaitent pas être découverts. Pourquoi, sinon, ne s'être pas fait connaître plus tôt ? Malheureusement, leur volonté de rester cachés n'augure rien de bon quant à leurs intentions… Il est difficile de savoir si le gouvernement est au courant de leur existence, mais, même si c'est le cas, il garderait sans doute le secret.

Alors, devrions-nous nous préparer à être bientôt envahis par des êtres venus du centre de la Terre ?

Titanic

En 1912, le paquebot de croisière Titanic sombrait tragiquement. Deux tiers des passagers périrent gelés dans les eaux glacées de l'Atlantique Nord. La tragédie du plus grand paquebot de son temps a longtemps été attribuée à une collision fatale du bateau et des canots de sauvetage avec un iceberg.

L'épave resta immergée durant 70 ans, jusqu'à ce que le Dr Robert Ballard de l'Institut océanographique de Woods Hole parvienne à localiser le paquebot lors d'une expédition. Après plusieurs explorations de l'épave, et suite à un examen minutieux de la coque, la conclusion tomba : le Titanic n'avait jamais heurté un iceberg. C'est une torpille qui l'avait coulé.

Si l'on en croit cette théorie, les responsables seraient les Allemands. En 1912, l'Allemagne avait perfectionné son modèle de sous-marin et construit plusieurs prototypes destinés aux essais. Le Titanic ayant été proclamé « insubmersible » par les Anglais, les Allemands se seraient mis en tête de leur donner tort… Un sous-marin fut envoyé secrètement dans les eaux de l'Atlantique Nord, prenant pour cible le paquebot de luxe. Comme, par chance, celui-ci passait près d'un iceberg, les Allemands virent là l'occasion de masquer leur crime, et lancèrent une torpille du même côté du bateau. Ainsi coula le Titanic… Quant au sous-marin allemand, il repartit comme il était venu.

Tour de Pise

Durant tout le Moyen Âge et jusqu'à la Renaissance, le paysage culturel européen fut dominé par les villes italiennes. Il faut dire que les Italiens n'épargnèrent pas leur peine pour conserver leur statut d'élite culturelle, dépensant d'énormes sommes d'argent pour décorer leurs églises et cathédrales, le plus souvent construites en plein cœur des villes. Pise ne faisait pas exception à la règle. L'influence de la ville connut son apogée au tournant du premier millénaire, lorsque les citoyens unirent leurs efforts pour ériger un ensemble complexe de bâtiments religieux, en commençant par la cathédrale avant de construire le baptistère. La beauté des bâtiments, construits en matériaux raffinés par les meilleurs artisans du pays, força l'admiration de tous.

Naturellement, un tel succès à la fois culturel et financier ne manqua pas d'attirer la rancœur des ennemis de Pise, en particulier Venise qui se considérait comme la force directrice du sud de l'Europe. La jalousie des Vénitiens aurait fini par prendre une telle ampleur qu'ils en vinrent à élaborer des complots contre la ville de Pise. Durant la construction de la tour de Pise, des vandales vénitiens auraient volontairement saboté les fondations afin que, une fois quelques étages construits, la tour commence à pencher. Les architectes pisans tentèrent, sans succès, de rectifier l'inclinaison de la tour en posant les étages supérieurs en diagonale. L'épisode porta un coup cruel à leur fierté et à la foi qu'ils avaient en leurs compétences. C'est à partir de là que s'amorça le déclin de Pise en tant que puissance navale. Les Vénitiens, une fois leur mission accomplie, prospérèrent jusqu'à devenir la puissance dominante de la Méditerranée occidentale.

Tour Eiffel

Si l'on en croit nos livres d'Histoire, la tour Eiffel, symbole parisien par excellence, a été conçue par le bourguignon Gustave Eiffel et construite pour l'Exposition universelle de 1889. Cependant, certains maintiennent dur comme fer que la structure est en vérité l'œuvre d'un architecte pro-allemand et qu'elle s'inscrivait dans un complot destiné, à long terme, à permettre aux Allemands de conquérir la France.

La tour, présentée comme une simple œuvre créée pour l'Exposition, aurait en fait été construite pour servir de mât d'atterrissage pour des zeppelins. Le placement stratégique d'une telle tour en plein cœur de la capitale française aurait permis aux troupes une fois larguées de s'emparer rapidement de Paris.

Comme on le sait, ce plan n'a heureusement jamais été mis à exécution, mais qui sait si, dans quelques années, la tour Eiffel ne servira pas de mât d'atterrissage à des êtres venus d'ailleurs ?

Le tsunami du 26 décembre

26 décembre 2004. L'Asie du Sud-Est est dévastée par l'un des tsunamis les plus meurtriers de l'Histoire. Des vagues atteignant jusqu'à 30 m s'abattent sur les côtes de l'océan Indien, faisant presque 230 000 victimes. Et si la catastrophe avait été programmée ?

Une théorie soutient que c'est le gouvernement américain qui aurait provoqué le tsunami à l'aide d'une bombe nucléaire. L'objectif ? Avoir la mainmise sur les réserves de pétrole de la province d'Aceh, en Indonésie. Ayant déjà utilisé la force pour augmenter ses réserves de pétrole en Irak, l'administration Bush n'avait aucune raison de ne pas avoir à nouveau recours à cette stratégie.

Les premiers rapports des secours sur la catastrophe (lesquels auraient été détruits par la suite) mentionnent que 2 000 Marines américains ont débarqué dans la province d'Aceh peu après que le tsunami se fut abattu sur les côtes afin de faciliter l'autonomie partielle du gouvernement indonésien dans cette région riche en pétrole. Les échantillons d'eau prélevés révélèrent un taux anormal de radioactivité.

Une autre explication avancée est que le gouvernement américain a utilisé son programme de manipulation ionosphérique, le HAARP, pour déclencher le tsunami. Le but officiel du HAARP, financé en partie par la marine américaine et l'US Air Force, est d'utiliser l'ionosphère comme un outil de communication et de surveillance, mais on raconte que des armes de modification météorologique auraient été mises au point simultanément. C'est grâce à ce système que le tsunami aurait été provoqué, et non par des causes naturelles.

Pour d'autres, c'est l'Inde et non les États-Unis qui aurait déclenché la détonation nucléaire responsable du tsunami. Le gouvernement indien, désireux de conserver l'avantage sur son voisin et rival le Pakistan, aurait fait tester un appareil nucléaire dans une région de l'océan Indien qui fut plus tard identifiée comme l'épicentre du tremblement de terre.

Certains vont même jusqu'à soutenir que l'objectif du gouvernement indien était d'éliminer une partie de la population mondiale. L'Inde est depuis longtemps en conflit avec les musulmans. La région du Sud-Est asiatique, où la majorité de la population est musulmane, aurait été ciblée à dessein.

Tupac Shakur

Après avoir assisté au combat de Mike Tyson à Las Vegas le samedi 7 septembre 1996, le rappeur américain Tupac Shakur reçut cinq balles provenant d'une voiture située à proximité. Il fut emmené, encore vivant, à l'hôpital le plus proche, mais mourut de ses blessures le 13 septembre 1996 – un vendredi treize. Il existe de nombreuses théories du complot concernant le meurtre, mais la plus populaire est que la mort de Shakur était un canular. Excédé par les scandales sur son compte relayés par les médias, le rappeur aurait décidé de disparaître de la scène pour aller vivre sur une île déserte.

Ceux qui sont convaincus que Tupac est toujours vivant ne manquent pas d'arguments pour étayer leur théorie :

- Tupac est représenté crucifié sur la pochette d'un de ses disques, ce qui suggère qu'il ressuscitera.

- Un clip vidéo diffusé quelques jours seulement après sa mort montre les images du meurtre, comme si on avait voulu convaincre le public de la disparition définitive du chanteur.

- Tupac ne sortait jamais sans son gilet pare-balles. Il est donc étonnant qu'il ait omis de le porter pour se rendre à un combat de Mike Tyson où il savait qu'il y aurait foule. A-t-il oublié exprès son gilet pour rendre plausible son faux assassinat ?

- Dans de nombreuses chansons, Tupac parlait d'être enterré. Pourquoi alors a-t-il été incinéré ? Il est d'autant plus suspect que son corps a été incinéré au lendemain de sa mort, et sans qu'un examen approfondi ait été pratiqué au préalable. Il est illégal d'enterrer une victime de meurtre sans examen *post-mortem*.

- Comment expliquer que la police n'ait pas réussi à interpeller la voiture blanche d'où les balles avaient été tirées ? Las Vegas se trouvant en plein milieu d'un désert, il est improbable qu'elle ait pu prendre la fuite sans être aperçue par des témoins.

- L'entourage de Tupac était bien connu pour avoir des méthodes plutôt expéditives. Pourquoi aucun de ses proches n'a-t-il cherché à le venger ?

Les résultats de l'enquête sur le meurtre publiés dans le *Los Angeles Times* indiquent que le tueur était un homme rencontré le soir même par Tupac, un certain Orlando Anderson, membre d'un groupe rival. Anderson mourut lui-même plus tard dans un affrontement de gangs rivaux. Avant sa mort, pourtant, il ne fut jamais inquiété pour le meurtre de Tupac. Bénéficiait-il d'une protection en haut lieu ? L'élément le plus troublant reste que l'arme qui a tué le rappeur appartenait à Notorious B.I.G., rappeur rival et ennemi juré de Tupac. Il aurait dépensé un million de dollars pour son assassinat. Il nia néanmoins avoir été impliqué dans l'affaire jusqu'à sa mort, lorsqu'il fut lui-même abattu quelques mois seulement après Tupac. Encore une fois, le crime resta impuni. Mais si Notorious B.I.G. était bien l'instigateur de l'assassinat, il n'aurait pas survécu seul pendant autant de temps après le crime. Seule explication possible : il a été protégé par un réseau de gangs complices du meurtre de Tupac.

L'Union nord-américaine

Un groupe de mondialistes élitistes prévoirait en ce moment même de rayer de la carte les États-Unis, le Canada et le Mexique pour les remplacer par un nouvel État transnational proche de l'Union européenne. Le complot de l'Union nord-américaine est en marche...

Selon les partisans de cette théorie, les gouvernements de Washington, Ottawa et de la ville de Mexico seraient dissous pour laisser place à un système politique centralisé comme il en existe déjà en Europe. Cet état unique serait mis en place de façon insidieuse, au moyen d'une série d'accords commerciaux.

L'Union nord-américaine serait dotée d'une autoroute géante à 12 voies, surnommée « super-couloir ». Atout fondamental du nouveau super-État, cette autoroute s'étendrait du Yukon au Yucatán afin de faciliter les flux de biens et de personnes à l'intérieur des nouvelles frontières établies. Les monnaies nationales seraient abandonnées au profit d'une nouvelle unité monétaire commune. Fiction ou proche réalité ? Selon certains, plusieurs aspects du projet secret seraient déjà au point, et n'attendraient que le bon moment pour être mis en œuvre.

La nouvelle monnaie de l'Union nord-américaine, baptisée amero, mettrait donc fin au dollar américain et canadien et au peso mexicain. Il serait même envisagé d'abandonner la langue anglaise au profit de l'Espagnol – un changement qui, même s'il provoquerait sans doute quelques remous, serait facilité par le poids à la fois social et économique des populations hispaniques aux États-Unis.

Si l'on en croit les spéculations, le concept de l'Union nord-américaine aurait été créé par un groupe d'industriels libéraux qui savent qu'une telle expansion de l'espace commercial serait bénéfique à leurs entreprises. Et pour parvenir à leurs fins, ils comptent multiplier les accords bilatéraux jusqu'à ce que les trois pays ne forment plus qu'un seul espace commercial.

Les activités de l'ALENA, l'Accord de libre échange nord-américain, du PSP, Partenariat pour la sécurité et la prospérité et du CFR, le Conseil des relations étrangères, convergent-elles toutes vers la création d'une Union nord-américaine ? Le PSP a récemment appelé à une plus grande collaboration entre les États-Unis, le Canada et le Mexique. Et le CFR a récemment publié un rapport intitulé *Bâtir une communauté nord-américaine*. Coïncidences ou projet secret savamment planifié ?

Une autre organisation soupçonnée de prendre une part active au projet est la NASCO (*North American SuperCorridor Coalition*), un organisme à but non lucratif qui se veut pour mission de faciliter les échanges commerciaux sur le continent américain le long d'un corridor de commerce reliant le centre des États-Unis, la région centre et est du Canada et traversant presque tout le Mexique. Selon la NASCO, ce corridor de commerce géant relie déjà 71 millions de personnes et a permis de réaliser 71 trillions de dollars américains de recettes entre les trois pays.

Autre hypothèse : l'Union nord-américaine aurait été imaginée par des groupes d'affaires d'extrême droite pour détourner l'attention d'autres problèmes plus graves rencontrés par les États-Unis : chômage, immigration illégale et racisme. En jouant sur des peurs bien ancrées dans les esprits et en faisant croire que la menace vient de l'extérieur, la propagation des principes de l'Union nord-américaine mettrait fin au développement solidaire de l'amélioration du droit du travail, des réformes sur l'immigration, de la syndicalisation et de la régulation du marché. Et c'est bien sûr la droite américaine capitaliste qui récolterait les bénéfices…

Virus du SRAS

Le virus du syndrome respiratoire aigu sévère, ou SRAS, fit la une des journaux fin 2002, semant une vague de panique sur l'ensemble de la planète. Le virus continua de sévir jusqu'à l'été 2003. On dénombra plus de 8 000 cas de contamination, dont presque 800 furent mortels. Le virus du SRAS est-il apparu naturellement ? Et si, au contraire, il avait sciemment été introduit dans la population ?

Certains pensent que le virus du SRAS a été créé de façon artificielle, une thèse accréditée par les déclarations de deux éminents scientifiques russes après le début de l'épidémie. Nikolaï Filatov, chef des services épidémiologiques de Moscou, et Sergey Kolesnikov, membre de l'Académie russe des sciences médicales, ont tous deux déclaré publiquement que le virus était un mélange entre les oreillons et la rougeole qui n'aurait pas pu se former spontanément.

Alors, dans quel but le SRAS aurait-il été créé ? L'une des hypothèses possibles est que le virus a été mis au point dans les laboratoires du gouvernement américain qui prévoyait de l'utiliser comme arme biologique pour déstabiliser ses ennemis les plus puissants. Ces dernières années, l'économie chinoise a prospéré rapidement au détriment du commerce américain. L'Organisation mondiale de la Santé n'a répertorié que 27 cas de SRAS aux États-Unis, dont aucun mortel, alors que la plupart des cas de contamination et de décès sont survenus en Chine. Une épidémie programmée ?

Les partisans de cette théorie pensent que le gouvernement américain a réussi à créer un virus destiné à ne toucher que les personnes chinoises en étudiant des échantillons de sang récoltés par des centre médicaux américains et des entreprises pharmaceutiques chinoises participant au complot. Certains ont avancé que les Japonais auraient également pris part à la création d'une maladie mortelle en approvisionnant les États-Unis en échantillons de sang prélevés dans des usines japonaises en Chine.

Le gouvernement chinois a aussi été montré du doigt. Le SRAS aurait été développé à la base par des scientifiques du gouvernement chinois afin de développer une arme biologique. Suite à un incident, le virus se serait échappé des laboratoires où il était fabriqué. Cette hypothèse expliquerait pourquoi le taux de contamination fut si élevé en Chine et pourquoi, au départ, le gouvernement a cherché à minimiser l'ampleur de l'épidémie. Est-ce pour cette raison qu'il semblait hésitant à coopérer avec l'Organisation mondiale de la Santé ?

Dernière hypothèse, le SRAS aurait été mis au point par un groupe secret d'industriels et de politiciens connu sous le nom de Nouvel Ordre mondial. En diffusant le virus, le groupe aurait espéré réduire une population mondiale toujours croissante qui commence à épuiser les ressources naturelles de la planète. Le groupe croit en effet que le seul moyen de remédier à ces problèmes est de réduire la population mondiale d'au moins un tiers. Qui sait si le SRAS n'était pas qu'une simple étape vers la création d'une arme biologique surpuissante capable d'éliminer plus de deux milliards d'entre nous ?

Vol AF 447

Le 31 mai 2009, le vol Air France AF 447 quittait l'aéroport international de Rio de Janeiro-Galeão pour rejoindre l'aéroport Charles-de-Gaulle à Paris. Il ne parvint jamais à destination. 12 membres d'équipage et 216 passagers, dont 72 Français et 59 Brésiliens, disparurent sans laisser de trace.

Depuis l'instant où l'avion sortit de la zone radar contrôlée par le Brésil, plus aucun contact ne put être établi. Les autorités mettent en cause l'accumulation du mauvais temps – en particulier la présence de nombreuses tempêtes – et une faille catastrophique du système. Et si la disparition du vol AF 447 était intentionnelle ?

Selon une hypothèse, l'avion aurait été pulvérisé par un nouveau laser aéroporté sur ordre de dirigeants militaires américains désireux de prouver à l'administration Obama la puissance de leur dernière invention. L'efficacité de cette arme expliquerait pourquoi on a mis si longtemps à retrouver la moindre trace de débris ou de corps, et pourquoi les boîtes noires n'ont jamais été retrouvées.

Toujours selon cette théorie, le gouvernement brésilien, d'abord réticent à couvrir son homologue américain, aurait été convaincu par la promesse d'une aide financière – une aide bienvenue pour le Brésil qui traversait alors de lourds problèmes économiques. Cela expliquerait pourquoi les autorités brésiliennes, après avoir initialement annoncé que des débris de l'appareil avaient été localisés, se sont rétractées du jour au lendemain, affirmant ensuite que les débris ne pouvaient pas appartenir à l'avion d'Air France.

Certains pensent même que les passagers n'ont jamais embarqué. L'avion était destiné à servir de cible d'exercice et ses passagers, acheminés de force vers les mines de charbon du Colorado sur ordre du gouvernement américain, afin d'augmenter la production dans cette période de sévère récession économique. Était-ce pour gagner du temps en cas d'imprévu que les recherches de débris ont débuté si tard ?

Autre solution, le vol Air France 447 a-t-il été détourné par des néo-pirates africains venus des eaux ouest-africaines, souhaitant se venger d'une concurrence commerciale trop rude et d'interventions militaires étrangères toujours plus hostiles ? Les pilotes de l'AF 447 auraient été forcés de faire voler l'avion à basse altitude pour échapper à la détection radar afin de devoir atterrir sur l'inhospitalière côte ouest-africaine. L'avion allait entrer dans une zone aérienne contrôlée par le Sénégal lorsqu'il a disparu.

On a aussi avancé l'hypothèse que la disparition de l'avion était le résultat d'une alliance temporaire entre les cartels de la drogue de la région et des personnalités troubles du gouvernement. Leur objectif : éliminer Pablo Dreyfus, passager à bord et contrôleur d'armes argentin qui militait activement pour un contrôle accru du trafic d'armes et de drogues, contrariant ainsi les plans des trafiquants d'Amérique du Sud et de politiciens peu scrupuleux.

William Shakespeare

Roméo et Juliette, *Henry V*, *Le Songe d'une nuit d'été*, *Comme il vous plaira*, *La Tempête*... La liste des chefs-d'œuvre de Shakespeare, le plus célèbre écrivain anglais, est encore longue. Mais Shakespeare est-il bien l'auteur de ces pièces ? Et s'il s'avérait en fait le plus grand mystificateur de l'histoire littéraire ?

Un certain nombre de personnes avancent très sérieusement que l'auteur prodige, natif de Stratford-sur-Avon, n'a pas écrit lui-même les classiques qu'on lui attribue. En dehors des pièces de théâtre elles-mêmes, il ne subsiste presque aucun écrit de Shakespeare. L'écrivain aurait-il été inventé de toutes pièces ? Comment un homme à l'éducation si modeste aurait-il pu accumuler de telles connaissances en langues et en pays étrangers ? Si Shakespeare est réellement une création, reste maintenant à savoir qui l'a inventé.

L'un des auteurs possibles de pièces telles qu'*Othello* et *Le Marchand de Venise* pourrait être Christopher Marlowe, un poète élisabéthain du seizième siècle et tragédien réputé. Il fut tué d'un coup de poignard à Deptford en 1593, ce qui rend *a priori* impossible qu'il soit l'auteur des œuvres de Shakespeare écrites après cette date. Sauf si, comme certains le suspectent, Marlowe avait en fait mis en scène sa propre mort pour échapper à ses créanciers et aux accusations de blasphème.

Une fois protégé par l'anonymat, il aurait écrit les pièces et les sonnets qu'on a attribués à Shakespeare – lequel n'aurait été qu'un simple acteur du village employé par Marlowe pour endosser la paternité de ses œuvres. Un copiste du nom de Thomas Walsingham aurait été complice de la supercherie. Afin d'éviter d'être trahi par son écriture, Marlowe employa Walsingham pour recopier ses manuscrits. Cette astuce expliquerait pourquoi les premiers brouillons de Shakespeare étaient déjà presque parfaits.

Sir Francis Bacon est un autre candidat au titre de « vrai » Shakespeare. Il écrivit dans ses lettres être un « poète caché », comme s'il souhaitait évoquer une double identité. Bacon aurait choisi d'écrire sous un pseudonyme pour éviter que ses origines aristocrates ne l'empêchent d'atteindre la renommée littéraire qu'il espérait. Le seul carnet de notes jamais retrouvé chez Shakespeare aurait en fait appartenu à Bacon. Son nom figurerait même dans les œuvres signées de Shakespeare.

Le catalogue shakespearien a également été attribué à Édouard de Vere, 17e comte d'Oxford. Là encore, De Vere aurait recouru à un pseudonyme en raison de son aristocratie. Il était inconvenant à l'époque qu'un homme de son rang s'abaisse à écrire des pièces de théâtre populaires. Son éducation classique et les similarités entre sa vie et les événements relatés sont considérées par certains comme la preuve que De Vere était leur véritable auteur.

Ou était-ce Henry Neville, un distant cousin de Shakespeare, surnommé « Falstaff », un nom qui est justement repris dans trois de ses pièces ? Une dernière théorie, enfin, suggère que le célèbre dramaturge était peut-être une femme : la reine Elizabeth Ire, une souveraine extrêmement cultivée et intelligente. Si elle est bien l'auteur des œuvres les plus célébrées de toute la littérature anglaise, elle aura réussi le tour de force de duper les historiens durant des siècles après sa mort.

Wolfgang Amadeus Mozart

« Mozart est mort... Comme son corps a enflé après sa mort, certains pensent qu'il a été empoisonné... Maintenant qu'il est mort, les Viennois réaliseront enfin ce qu'ils ont perdu avec lui... »

Ainsi s'exprimait un correspondant de Prague dans un quotidien berlinois, moins d'un mois après le décès de Mozart. Sa mort alimenta immédiatement des rumeurs de complot. De nombreux historiens ont depuis tenté de démêler les fils du mystère entourant la mort de celui qui est sans doute le plus grand compositeur de tous les temps.

L'une des hypothèses avancées est que Mozart aurait été assassiné par Antonio Salieri, son éternel rival. Vers la fin de sa vie, Salieri, qui commençait à perdre la raison, aurait tenté de se suicider. C'est à partir de là qu'il aurait avoué à plusieurs reprises le meurtre de Mozart. On peut pourtant se demander quel intérêt Salieri aurait eu à tuer Mozart : bien sûr, celui-ci était de loin le meilleur compositeur des deux, mais d'un point de vue matériel, Salieri, qui occupait le poste de *Kapellmeister* impérial, était mieux payé, et nul doute que Mozart lui-même lui enviait son poste. En plus d'avoir un meilleur salaire, Salieri disposait d'une plus grande liberté créative et, à l'époque, ses opéras étaient aussi réputés que ceux de Mozart. Si l'on s'en tient à l'aspect financier, c'est donc Mozart qui aurait eu une bonne raison de tuer Salieri ! Le film *Amadeus* suggère que Salieri aurait pu l'assassiner par pure jalousie artistique : alors que lui-même travaillait avec acharnement pour produire des œuvres qui n'étaient, somme toute, que de second plan, Mozart semblait composer sans le moindre effort des symphonies relevant du génie pur.

Les francs-maçons ont aussi été désignés comme coupables potentiels. Mozart s'était engagé dans l'organisation étant jeune, comme l'atteste son opéra *La Flûte enchantée* qui relate le combat de Mozart contre la chrétienté, et l'Église catholique en particulier. La nature maçonnique de l'opéra a cependant été remise en question. Mozart, d'ailleurs, ne se pliait pas toujours à la loi maçonnique. Il venait d'une famille où la tradition chrétienne était fortement ancrée. Cette morale chrétienne transparaît d'ailleurs dans le duo des hommes armés du même opéra. Et le personnage de Sarastro, archétype du franc-maçon, est présenté comme un ravisseur. Il semblerait que Mozart prévoyait de créer un ordre rival à celui des francs-maçons, baptisé « *Die Grotte* ». Doit-on en conclure que les relations n'étaient pas au beau fixe entre Mozart et les francs-maçons ? Il aurait fait part de son projet à son ami clarinettiste (et maçon occasionnel), Anton Stadler. Celui-ci l'aurait-il trahi ? Il semble en tout cas étonnant que les maçons n'aient offert aucune participation financière aux funérailles du compositeur, le condamnant à être enterré dans la fosse commune.

Zone 51

Depuis des années, les spéculations vont bon train quant à la nature réelle d'une zone située dans une région reculée du désert du Nevada, près de Roswell au Nouveau-Mexique : la zone 51. Cet ancien terrain d'aviation transformé en 1955 en site top secret de fabrication d'avions espions est devenu célèbre pour les mystères qui l'entourent. Le nom même de « zone 51 » n'est pas reconnu par le gouvernement américain, mais il semble presque certain que le site abrite des activités tenues secrètes du grand public.

Officiellement, il s'agirait d'un simple complexe destiné aux tests militaires. La seule information concrète dont on dispose est géographique : la zone se trouve au nord de Las Vegas. Le reste des informations se perd dans un enchevêtrement d'affirmations douteuses. Difficile de glaner le moindre renseignement valable sur cet endroit mystérieux sachant qu'une zone de non-vol s'étendant jusqu'à l'espace rend toute approche impossible. Mais pourquoi l'armée a-t-elle recours à des mesures si excessives pour décourager les tentatives d'entrée ? Si la zone est utilisée comme terrain de tir militaire, ces règles sont justifiables, mais on peut s'étonner que les restrictions soient à ce point poussées à l'extrême : la zone est entièrement clôturée, et surveillée en permanence par un circuit fermé constitué de centaines de caméras de sécurité digne d'un mur de Berlin moderne. À proximité, des panneaux préviennent que la force armée pourra être utilisée contre quiconque tentera de pénétrer dans la zone. Décidément, l'armée semble bien décidée à dissuader les curieux... Les routes entourant la zone sont surveillées par des véhicules camouflés portant des plaques d'immatriculation gouvernementales. Au volant, des militaires en tenue de camouflage armés de fusils M16.

Maintenant que la zone 51 ne sert plus au développement des avions espions, on ignore à quoi elle sert. Le seul élément concret est qu'il y a là une grande base aérienne ne figurant sur aucune carte. Quelques photographes intrépides ont malgré tout défié le danger pour prendre des photos de la zone depuis les collines environnantes. Il existe aussi des images prises par des satellites russes et commerciaux, dont une photo d'un hangar construit récemment – démentant ainsi les dires du gouvernement qui affirmait que la zone 51 était désormais fermée.

Une autre théorie suggère que la zone est en fait un centre de recherche pour enquêter sur les ovnis. C'est là aussi que seraient fabriqués les sinistres hélicoptères noirs qui ont été associés aux mutilations de bétail et harcèlement des témoins ayant aperçu des ovnis. Il semble logique que l'étude des ovnis nécessite l'existence de bâtiments dédiés – est-ce donc là qu'ont été transférés les décombres après le crash de ce qu'on pense être une soucoupe volante dans un ranch de Roswell, au Nouveau-Mexique. Naturellement, on peut aussi penser que c'est là que le gouvernement tente de reproduire la technologie extraterrestre découverte grâce à cet incident.

Une hypothèse plus extravagante avance que des extraterrestres vivants sont maintenus dans la base pour y être étudiés. Si, effectivement, des extraterrestres avaient survécu au crash de Roswell, qui sait ce que le gouvernement aurait décidé de faire ? Si cette théorie s'avère, on peut d'ores et déjà s'inquiéter pour notre futur : si des extraterrestres ont effectivement réussi à atteindre notre planète, il va de soi que leur technologie est bien supérieure à la nôtre. Auquel cas ce n'est qu'une question de temps avant qu'ils ne parviennent à s'échapper de la zone 51 et ne décident de se venger…

Imprimé en France en juin 2010 sur les presses de l'imprimerie
« La Source d'Or »
63039 CLERMONT-FERRAND
Pour le compte de Music & Entertainment Books
ISBN 978-2-35726-062-7
Dépôt légal : juin 2010
Première édition : juin 2010

*Dans le cadre de sa politique de développement durable, La Source d'Or a été référencée IMPRIM'VERT® par son organisme consulaire de tutelle.
Cet ouvrage est imprimé - pour l'intérieur - sur papier offset "Amber Volume" 90 g provenant de la gestion durable des forêts,
des papeteries Arctic Paper dont les usines ont obtenu
les certifications environnementales ISO 14001 et E.M.A.S.*